# 2ちゃん化する世界
## 匿名掲示板文化と社会運動

# まえがき

編者である私（石井）は１９９６年生まれである。そのため同世代や私より年下の人々は「ひろゆき」を知っていても2ちゃんねるを知っているとは限らない。「ひろゆき」を知っていても彼が何度も裁判で賠償金を支払うように命じられ、さらにその義務を履行していないことを知っているとは限らない。「ひろゆき」を知っていてもその人物が作り上げた掲示板がアメリカに輸出され、Qアノンを生み出したことを知っているとは限らない。

それでも編者が匿名掲示板に関心を持ったのは、香港に留学していたからだ。編者は２０１８年から２０２１年まで香港中文大学に留学し、２０１９年6月からの逃亡犯条例修正反対運動に端を発する香港デモをリアルタイムで体験することとなった。この体験は路上での衝突をはじめとしたオフラインのものとは限らない。むしろオンライン上の出来事や言説がデモに大きな影響を与えていた。そしてそのオンライン上の「拠点」の一つが第5章で語るＬＩＨＫＧという匿名掲示板だったわけである。

匿名掲示板は「アングラ」なものとしてフェイスブックやツイッターなどのソーシャル・ネットワーキング・サービスとは明らかに違うイメージを一般に持たれている。「みんなが見る・書き込む」存在ではなく、「一部のマニアックな人が見る・書き込む」というイメージだろう。そのような存在が、香港デモという世界から大きな注目を集める社会運動の「拠点」となっていたことは編者にとっては強烈な経験だった。

「こんなことは日本では起きないよね」と思っていたが、香港デモを取材していたルポライターの安田峰俊氏にフリーチベット運動のことを教えてもらい、かつては日本でも匿名掲示板発のデモがあったことを知った。詳しくは第1章の座談会で詳しく述べられているが、フリーチベット運動はその後在特会をはじめより組織化された政治的集団を生み出し、その過程で生み出されたものはネトウヨ的言説をはじめ2ちゃんねる（現5ちゃんねる）が衰退した今でも様々なウェブ空間で引き継がれている。

その後アメリカ連邦議会襲撃を引き起こしたQアノンが話題になったが、これも「アメリカ版」2ちゃんねると言える4chanから生み出されたと言われている。安田氏と同じく香港デモの過程で編者が出会ったルポライターの清義明氏がQアノンについての記事を「論座」に書いており、安田氏と清氏にとっての「2ちゃんねる」体験と分析をまとめれば匿名掲示板文化とそこから新たに生み出された政治運動・政治的集団についての一つの記録になるのではないかと期待し、編者はこの書籍を作ることにした。

さらに、4chanで生み出された言説が今日本に何をもたらしているかの事例についても合わせて取り上げる必要性を感じた。そこでカルト取材で知られる藤倉善郎氏にQアノンが日本に輸入され「Jアノン」となり、それらが宗教団体と結びついていった過程について執筆してもらった。

これがこのような書籍が出来上がることになった背景である。

ここまでの説明と重なる部分もあるが、簡単に各章の内容の説明を記しておく。各章はそれぞれ独立した内容になっているので、どこからでも読めるように構成されている。

第1章では安田氏、藤倉氏、清氏に座談会形式でフリーチベット運動とその後のネトウヨの動きについて語ってもらった。2ちゃんねる上で生み出されたフリーチベット運動からどのように「在特会」のような組織化された政治運動が生じたのか、ネットと現場両方を見続けてきた安田氏などだからこそ語れるエピソードが数多く盛り込まれている。2ちゃんねるが日本の政治的言説空間にどのように断層を作り出したのか知るための貴重な「当事者」による証言と言えるだろう。

第2章では清氏が2ちゃんねるがどのように管理されない「無法地帯」になったのか分析している。清氏は、西村博之や初期のネットユーザーが共に、60年代のヒッピーカルチャーと経済的リベラリズムという一見矛盾する思想が混ざりあった「カリフォルニアン・イデオロギー」や、ここを源流とするネット空間の自由と弱肉強食の「海賊のルール」に動かされていると主張する。さらにそうして西村などが作り上げたものが4chanとして英語圏に輸出されQアノンの培養器となったと結論づける。

第3章では安田氏が2ちゃんねるが育んだ陰謀論である「日本解放第二期工作要綱」を取り上げ、まとめブログを介した商業主義的な2ちゃんねるの広がりの例を示している。同事例は2ちゃんねるの書き込みが元になってツイッター、ユーチューブにおいて現在も拡散されているものであり、2ちゃんねるにおける言説と現在の陰謀論の繋がりを示す一例となっている。

第4章では藤倉氏がQアノンが日本化したJアノンと宗教団体との関わりについて記述している。Qアノンは第2章で述べるように4chanから生み出されたものであり、2ちゃんねる的空間が英語圏に輸出されたことで発生したものと言える。そのQアノンが日本のネット空間に「逆輸入」され、さらに旧統一教会・サンクチュアリ教会・幸福の科学のような宗教団体と結びついていった状況が描かれている。

第5章では石井が香港の匿名掲示板であるLIHKGが2019年からの香港デモにどのように影響したのか記した。LIHKGは匿名掲示板としてデモの情報共有・議論には向いていない場所であるものの、デモのシンボルとしてデモ参加者のアイデンティティの拠り所になったことを主張している。

本書はかなり具体的な事例を中心としており、それぞれの事例がより大きい文脈で何を意味するのか語りきれていないかもしれない。ただ具体的事例を無視した理論はただの空論に過ぎない。これらの個別的事例が、2ちゃんねるのような匿名掲示板が今この瞬間の日本と世界の言説空間に何をもたらしているのかをより大きな文脈で理解するスタートになることを願っている。

本書は、執筆者の皆様はもちろん、編集者の原光樹さんをはじめ本当に多くの方のご協力によって完成している。本書の内容が一部センシティブなことからそのお世話になった全ての方々のお名前を挙げることは避けるが、本書に関わってくださった全ての方々に改めてお礼申し上げたい。

２０２２年12月

石井大智

目次

装幀＝コバヤシタケシ

# 第1章

# フリーチベット運動とネトウヨの誕生
## ――2ちゃんねるの政治化の分水嶺

安田峰俊＋藤倉善郎＋清義明（途中参加）＋石井大智（司会）

本章は2008年に起きた日本国内でのフリーチベット運動が、どのように2ちゃんねるから生じたのか、またフリーチベット運動を通して2ちゃんねるから政治運動に流入してきた人々が、どのようにその後の政治運動に影響してきたのかを議論するものである[1]。

フリーチベット運動は、2008年3月に中国のチベット自治区で起きたチベット騒乱後に、チベットの解放を掲げて世界的に拡大した政治運動である。2008年夏の北京オリンピックの開催を控えていた時期であり、当時の聖火リレーは開催国だけではなく世界各地で行われていた。そのため、チベット騒乱後に行われた世界各地の聖火リレーにて多くの妨害が行われた。

この日本国内のフリーチベット運動は、2ちゃんねるやSNS「ミクシィ」のオフ会の一つとして開催された側面が強い。フリーチベット運動は2ちゃんねるの利用者（2ちゃんねらー）のような組織化されていない人々をインターネット上で結集させ、彼らをネットから路上のデモに出すことになった事件と言える。当初のフリーチベット運動はネット発の政治運動として、比較的組織化されていない「オフ会」型デモではあった。しかし、フリーチベット以後、彼らは徐々に組織化されていき、そのいっぽうで「オフ会」型デモは衰退していった。その結果、フリーチベット運動はこれまでの伝統的右翼・左翼と断絶した新たな政治運動を生み出した——というのが本章における話者たちの語りを総合したものと言えるだろう。

いわゆる「ネトウヨ」や「行動する保守」について言及した言説は数多くあり、彼らに対するネットの影響を指摘した分析は多くある。[2] しかし、具体的に彼らが2ちゃんねるなどオンライン空間上でどのように形成されたのかについて語る言説は多くない。つまり彼らがネットの影響を受けていることは十分認識されているものの、どのように影響を受けたのかについては十分に議論されていないのだ。

例えば「ネトウヨ」や「行動する保守」に関しての代表書と言える安田浩一『ネットと愛国』（講談社、2015年）は在日特権を許さない市民の会（在特会）を中心とした「行動する保守」の内実を事細かく描写できているが、2ちゃんねると本書が主に取り上げている在特会の発展がどのように接続しているのかについては、必ずしも詳しく描いていない。樋口直人『日本型排外主義——在特会・外国人参政権・東アジア地政学』（名古屋大学出版会、2014年）、野間易通『「在日特権」の虚構（増補版）——ネット空間が生み出したヘイト・スピーチ』（河出書房新社、2015年）、山崎望（編）『奇妙なナショナリズムの時代——排外主義に抗して』（岩波書店、2015年）なども同様に「ネトウヨ」や「行動する保守」について詳述しているが、本章で話者が述べるような、2ちゃんねる上のユーザーがどのように路上のデモに参加するようになったのか、また組織性のない匿名掲示板のユーザーの一部が組織化していく過程についてははっきり記述していない。これらの著作は、路上で過激な行動をする在特会の発展という「結果」により焦点を当てたものであり、これらが発展するまでの「プロセス」――それは「社会への不満」や「リベラルへの反感」といった要因のことではなく、実際に彼らがどのように政治運動を展開していったのかという経緯のことである――をそこまで重要視していない。この点は、大量の書き込みが投下されていた2ちゃんねるに一ユーザーとしてリアルタイムで張り付いているような経験がないとなかなか分からない点なのかもしれない。

とはいえ、それはこれらの先行研究においてフリーチベット運動が全く触れられていなかったということを意味するわけではない。例えば、安田浩一『ネットと愛国』はフリーチベット運動について以下のように触れている。

西村は「主権回復を目指す会」という右派系団体のリーダーだ。長きにわたりチベット解放、反中国といった保守運動に関わってきた。激烈なアジテーションを持ち味とする西村は、保守運動圏の異端児として知られてきた。

西村は大学を中退し、左翼活動からも身を引く。そして30年近くを建設会社のサラリーマンとしてすごした後、中国の〝チベット弾圧〟などに刺激を受けてふたたび運動の世界に戻る。ただし今度は反中国の闘士として「主権回復を目指す会」を立ち上げるのだ。

現在50代のSは資産家の夫に先立たれ、大阪市内の高級マンションで一人暮らしをしている。もともとはチベットの独立運動を支援する市民団体で活動していたが、その流れから反中国を訴える保守系のイベントにも次第に参加するようになった。そこで在特会の活動を知るところとなり、２０１０年頃から同会が主催する街宣の常連となった。

『ネットと愛国』は在特会を主に取り上げた書籍であり、ロート製薬強要事件を引き起こした元在特会京都支部長である西村斉に関する記述が多く、最初の2つは西村斉に関するものだ。この記述によれば、西村斉はフリーチベット運動を契機に政治運動を活発化させたことがわかる。もう一つも、フリーチベット運動から在特会に合流した人物に関する記述だ。

このように安田浩一はフリーチベット運動そのものにはそこまで関心を払っていないが、それでも彼が取材した人物を辿っていくとその一部はフリーチベット運動に関係していたということがわかる。

したがって、本章はこれまで言及されていなかったような組織化されていない2ちゃんねらーとより組織化されている「行動する保守」がどのように接続しているかについて話者が語るという点で、これまでにない新規性があると言えるだろう。その点も含めてより詳しくは「解説」で述べる。（石井大智）

本書『２ちゃん化する世界』において、内容に誤りがございました。謹んでお詫び申し上げますとともに、下記のとおり訂正いたします。・14頁8行目

誤：『ネットと愛国』は在特会を主に取り上げた書籍であり、ロート製薬強要事件を引き起こした元在特会京都支部長である西村斉に関する記述が多く、最初の２つは西村斉に関するものだ。この記述によれば、西村斉はフリーチベット運動を契機に政治運動を活発化させたことがわかる。

正：『ネットと愛国』は「行動する保守」を主に取り上げた書籍であり、主権回復を目指す会の設立者である西村修平に関する記述が多く、最初の２つは西村修平に関するものだ。この記述によれば、西村修平はフリーチベット運動を契機に政治運動を活発化させたことがわかる。

**注**

[1] 本章のもととなる座談会は2021年6月に行われ、収録の内容をもとに石井が順序の入れ替えなどを含めて構成・編集を行い、その後話者が内容を最終確認している。

[2] 本章は安田氏と藤倉氏の対談内容が主なベースとなっているが、2ちゃんねる上の人々が路上デモにどう関わっていたのかについての事実関係や因果関係については、ヘビーユーザーとして当時の2ちゃんねるの様子をリアルタイムに見ていた安田氏のコメントにかなりの部分を頼っている。

いつどこでデモが実施されたかなどの分かりやすい事実関係については簡単に検証可能であるが、それらのデモがどのようにネット上で企画され、結果としてどのような人々が参加したかについての語りの正確性を石井が検証するのは正直難しい。しかし、世代が異なりフリーチベット運動当時にそこまで2ちゃんねるを見ていなかったという清氏も、フリーチベット運動の前後で政治運動の断絶があったということには同意している。再検証が不十分であるとはいえ、少なくともここで挙げたような既存の言説の指摘と一致し、匿名掲示板文化に精通している2人が一致して感じている言説をこのように残しておくことは重要であると考え本章は語りをそのまま掲載している。

## ネトウヨ形成以前の2ちゃんねる

**石井大智**　フリーチベットそのものの話をする前に、フリーチベット以前の2ちゃんねるについてお話しできればと思います。まずは安田さんと2ちゃんねるの関わりを教えてください。

**安田峰俊**　私自身は１９８２年生まれで大学入学が２０００年です。2ちゃんねるの開設は１９９９年ですが、この掲示板が良くも悪くも日本国内で一定の知名度を持つようになったのが２０００年かと思います。２０００年5月にはネオむぎ茶というハンドルネームのユーザーが2ちゃんねるで犯行予告をしていたとされる「西鉄バスジャック事件」も起きました。

**石井**　つまりアングラな存在として2ちゃんねるが注目され始めた頃が、ちょうど安田さんのネットデビューの頃だったと言えますね。

**安田**　おそらく自分と同年代の人たちは、似たような経歴を辿っていると思います。高校生ぐらいだった90年代にはWindows95はすでにあったわけですが、パソコンを持ってる家はあんまりありませんでした。大学ではパソコンを触れても、地方の公立高校だとパソコン室に自由には入れないので、やっぱり大学入学＝ネットデビューのような感じでした。

**石井**　では日韓ワールドカップなどが2ちゃんねるでどう語られていたかご存知なわけですね。

**安田**　その通りです。同い年である著述家の古谷経衡と、いわゆるネットナショナリズムについて深く喋ったことがあるのですが、僕らの肌感覚としても２０００年頃にいわゆるネトウヨの勢力は全然強くなかったですし、彼らのようなユーザーによる同調圧力もなかった。むしろ自民党の中でも改革派のようにみられていた、宏池会の加藤紘一を支持するような勢力さえも、普通にいたぐらいだったので。

**石井**　加藤は2ちゃんねらーであることを公言しており、２０００年11月に第２次森内閣打倒を目指して「加藤の乱」を引き起こした政治家ですね。

**安田**　そうそう。彼が「加藤の乱」を起こしたのも、ネットを見てこれが世論だと思い込んでしまったからだという話もあるぐらいで。さておき、いっぽうで当時の2ちゃんねるは良くも悪くもアンチ大手メディアのような言説が喜ばれる場所で、いくらでも不謹慎なことを書ける場所でもあったわけです。

**石井**　アンチ大手メディアというと例えば？

**安田**　例えば24時間テレビですよね。あのマラソンは「偽善臭い」とすごい嫌われたと。おかげで、当時の2ちゃんねる界隈では24時間テレビのマラソンをひっきりなしに全部中継して張り付き、どこでランナーがショートカットしてサボってるかをチェックする行為が盛り上がっていました。あと、フジテレビに抗議半分の嫌がらせをするために、湘南の海でゴミ拾いをしようという同局の企画に先んじて、2ちゃんねらーが集まって先にゴミ拾いをして海岸を綺麗にしてしまうとか。

**石井**　アンチマスコミ綺麗事っていう感じですね。

**安田**　まぁでも、マラソンの監視や海岸の掃除は、ある意味で「健全」な性質もある行動じゃないですか。いっぽうで完全に不健全な言動も大量に見られたわけで、はっきり言って今のツイッターとはまた別の意味で闇でした。昔のIPアドレスもろくに記録されない頃の2ちゃんねるのめちゃくちゃぶりは本当に酷かった。障害者差別、部落差別、ミソジニー、低学歴差別的な言動が「ネタ」として大量に溢れていました。あと、創価学会差別もありましたね。自民党は決して好かれてはいませんでしたが、1998年まで与党だった社民党は特にすごく嫌われていました。リベラルが嫌いというより、いわゆる「きれいごと」とみなされがちな言説が、すごい嫌われていましたからね。

**石井**　なるほど。

**安田**　その中に、在日コリアン差別や韓国・北朝鮮への中傷も含まれていたわけです。だからよくも悪くも、当時の2ちゃんねるにおける在日差別や韓国叩きというのは、大手メディアにおいて言及がタブーであるテーマの一つでしかなかったと感じます。当初の段階では。

**石井**　2ちゃんねらーだから「嫌韓」をするという感じではなかったわけですね。

**安田**　多数の話題のなかのひとつだった嫌韓が、メインの話題に転じた大きな転機が、2002年の日韓ワールドカップだとはよく言われるところです。判定を巡って、大手メディアが韓国に忖度しているという批判が2ちゃんねるで噴出したが、その矛先は韓国にも向いた。結果として日韓ワールドカップが、2ちゃんねる上での大手メディアへの不満を広げるのみならず、嫌韓ムードを高めた。これはよく指摘される話です。例えば、古谷経衡さんもそのようなことを言っていますし、私も実際そう思いますね。

余談ながら、なんらかの組織的な背景があるとも言われるユーザーたちが、愛国陰謀論的な書き込みをコピペ爆撃しはじめたとされるのもその頃からかと思います。そうして、だんだん、ネトウヨ的な言説カルチャーの母体が固まっていくわけですね。「日本解放第二期工作要綱」も2ちゃんねるでコピペが貼られて広がりはじめました。

**石井** 日本解放第二期工作要綱とは、中国共産党による日本侵略計画を記した極秘文書として、ネット上で拡散されている文章ですね。本書収録の論考（第3章）で安田さんがご指摘されている通り、偽物の可能性が限りなく高いわけですが。

## 『嫌韓流』の登場

**安田** その後、日本は小泉政権の靖国参拝もあって、近隣諸国との関係がギクシャクします。中国では2004年のサッカーアジア杯にあたっての反日暴動と、2005年の大規模な反日デモが起きる。韓国についても、盧武鉉政権のもとでやはり対日関係が緊張する。慰安婦関係の話についても（ネット上で）恒常的に燃え続けてネトウヨ的雰囲気がだんだん色濃くなっていくわけですね。2005年に出版された漫画である『マンガ嫌韓流』（晋遊舎）は、そうした空気感を最初にまとめ、閉じたネット掲示板以外の公共圏に流してしまった本ではないかと思います。普通のメディアが拾わないような、一番エッジの効いた部分だけを2ちゃんねるからコピペ的に切り貼りして出版されたのが『嫌韓流』なわけです。現在につながるネトウヨの様式の雛形が2005年あたりからでき始めるわけですね。2006年に成立した、2ちゃんねるカルチャーを引き継いでいる「ニコニコ動画」や、その生放送機能も、コメントを書き込めることでネトウヨのエコーチャンバーに寄与するところが大だったと思います。

いっぽう、日本国内の既存の右翼・保守派のなかの人たちも「2ちゃんねるのネトウヨたちは自分たちの言説ともしかしたら近い層なのではないか」と思い始めるわけですよ。『諸君!』や『正論』はもともと反共右翼の雑誌であり、この雑誌の読者や寄稿者である古い右翼の人のなかには、青年時代に韓国と「交流」(旧統一教会との「交流」もあったといいます)に積極的だった人も少なくないようですが、だんだん『諸君!』『正論』的な世界とネトウヨの世界が近づいてきて、2010年前後には完全に融合してしまいます。

**石井** 組織性はどの程度だったと思いますか。

**安田** 2000年代までは野良ネット右翼、つまり組織化されていない層がメジャーだったと思います。いっぽう、そのなかから「頑張れ日本!全国行動委員会」(チャンネル桜の行動団体)や在日特権を許さない市民の会のような、組織化された人々が生じ、2010年代以降はこちらがネトウヨをリードするようになります。前者の野良ネット右翼は、書籍などを経由せず純粋にネット上だけで発生した右翼で、2ちゃんねるらしい遊び心やユーモラスさがまだしも観察されるところがありました。いっぽう後者は、右翼雑誌や団体で「養殖」されて2ちゃんねるにやってきた人たちですね。「ガチ」な感じの。

## 野良ネット右翼が組織化される契機としてのフリーチベット

**石井**　では、この章のメインテーマである２００８年のフリーチベットデモは、野良ネット右翼が「養殖」ネット右翼になる以前に起きたものだったわけですね。

**安田**　それどころか、むしろ２００８年のフリーチベットデモこそが、野良ネット右翼が組織化された「養殖」ネット右翼に置き換わっていく大きな転機になった事件のひとつに思えます。

**石井**　と言いますと？

**安田**　まずユルい理由を先に書けば、フリーチベットデモのなかで数百・数千人単位の人が全国各地でデモに出てきたことで、野良ネット右翼が社会にたくさんいることが可視化された。お互いに仲間が多いことを認識するようになったわけですね。

**石井**　でも、これ以前も先ほどお話しされたような24時間テレビの番組企画を妨害するようなオフラインの集まりはあったと思うのですが。

**安田**　その頃の反マスコミと反中・反韓の層は必ずしも被っていたわけではありません。２ちゃんねる発で24時間テレビの妨害をして日テレを困らせてやろうという人々は、政治性を前面に出してはいませんでした。在日コリアンや中国人への差別的な書き込みを行う人も、含まれていたのかもしれませんが、それが完全にメインではなかったわけです。

**石井**　どちらかといえばただの遊びの感覚で行われていたわけですね。

**安田**　妨害ですらないただの遊びもありましたよ。24時間テレビのもの以外だと、２００３年に映画『マトリックス』に出てくるエージェント・スミスに扮して、みんなで吉野家に行くというイベントもありました。平和ですね。２００８年のフリーチベットデモは当初、この手の非政治的なオフ活動の側面がまだ残る部分もあったのですが、それが強い政治性を帯びるようになった契機でもありました。

## カルトと2ちゃんねる

**石井**　少し話は逸れますが、せっかく藤倉さんがいらっしゃるので、2ちゃんねるとカルトの関係について次にお話しできればと思います。藤倉さんは2ちゃんねるをよく見ていたのですか。

**藤倉善郎**　95年ぐらいからパソコン通信をしていて、インターネットは主にカルトの情報収集や遠方の人と情報交換するのに使っていたけど、2ちゃんねるはそこまで見ていませんでした。ただ、祭り（特定のスレ上で現在進行中の事件などについて盛り上がること）は好きだったのでよく見ていました。

**石井**　フリーチベット前の2ちゃんねるとカルトの関係はどうだったのでしょうか？

**藤倉**　2ちゃんねるはすごく大型で、専門板によって全然カラーが違います。そのため2ちゃんねる全体でカルトが大きな影響力を持つことはありませんでしたが、宗教板ではカルトに限らず様々な宗教関係者からガチの内部告発が行われることはありましたね。

**安田**　暴力団関係者が内部事情を書き込むアウトロー板に似ていますね。

**藤倉**　ということで、私はあまり2ちゃんねるのメインストリームを追っていたわけではありませんでした。もちろん「のまネコ」問題みたいな、大きく問題になったものはリアルタイムで知っていますが。

**安田**　当時の2ちゃんねるでのカルトの扱われ方は、面白おかしいものでしかなかったですね。麻原彰晃のアスキーアートが拡散されたり。他にもパナウェーブ研究所という千乃正法会（「宗教と科学の一致論」を主張する宗教団体）の一部門があったのですが、このパナウェーブ研究所の信者が全身白装束を着ていたため、彼らが行く先々で白装束を着て邪魔をする2ちゃんねらーもいました。

**藤倉**　カルト宗教内部の人物による内部告発などを除けば、メインストリームの2ちゃんねらーにとって、カルト宗教はただの消費物で面白おかしくする養分でしかなかったわけです。

**石井**　カルト宗教が2ちゃんねる上で組織的に活動することはなかったのですか？

**安田**　右翼イデオロギーを拡散するようなコピペは2005年ぐらいからされていたので、おそらく右派系の新宗教が絡んでいたのではないかと僕は思います。

**藤倉**　もしかしたら、生長の家はやっていたかもしれませんね。明確に確証はないですし、印象でしかないですけど、やっていたとしてもそんなに影響力は大きくなかったと思います。ただ例外はあって、カルトの内部告発に対してカルト側が反撃をすることはありました。

**石井**　藤倉さんは2ちゃんねる上でカルト側に反撃された経験はありますか。

**藤倉**　らあめん花月嵐というチェーン店があって、その運営母体の中杉弘（本名：黒須英治）会長は「日本平和神軍」という右翼的なカルト集団の代表でもあるのですが、その会長はパソコン通信の時代からネット上の有名人でした。「日本平和神軍」の関係者が下ネタで中国人や韓国人を揶揄するようなポエムを書いて炎上したときに、私は彼の写真を撮影しようとして自宅前で朝から張っていたら、見つかってしまって。犬の糞を拾う棒で車を叩かれた上に、ナンバープレートや写真を宗教板に晒されたことがあります。そのときは、この者を特定すれば賞金を送るとも書かれていました。

**安田** 確かにカルトが反撃していますね。

**藤倉** カルトに関してそういう小さなバトルはたくさんありましたが、2ちゃんねる全体の歴史に関わるものではありませんでしたね。幸福の科学などが本格的にネットに乗り出してきたのは、2ちゃんねるではなくフェイスブックなどのSNS時代に入ってからという印象ですね。少なくとも目に見える範囲では。

**石井** SNSの方がどのアカウントが何を書いているかが見えやすいため、宣伝・勧誘活動がしやすいというのも関係しているかもしれませんね。

## 安田・藤倉とフリーチベットの関わり

**石井** 安田さんとフリーチベットはどう関わっているのでしょうか。

**安田** どうして私がフリーチベットについて断言調で話しているのかというと、私がある意味で

「当事者」の一人だからです。藤倉さんはフリーチベットが起きたときは30代で、ライターとして活動して10年程度経っていますよね。仕事をしている人間として、外からフリーチベット運動を見ていたわけですね。それに対して私は、２００８年当時は、就職に失敗した26歳の非正規労働者です。ヒマだし、まともな人生のルートから外れちゃったから失うものはない。一応はライターの仕事もしていましたが、取材をやったり記名記事を書けるような立場ではなかった。そんななかで同年3月にチベット騒乱が起きる。そこで、２００８年5月に長野市で行われた北京五輪の聖火リレーと、その場で起きたフリチベ派と中国人側との衝突の現場に行くことになるわけです。ほぼ、フリーチベット運動の「参加者」側に近い存在として現場にいた。

**石井**　なるほど。だからリアルタイムで当時の流れをご存知なわけですね。

**安田**　そうなんです。私も当時は若かったので、その後もある程度はデモに行っていましたが、同年末くらいまでには参加しなくなりました。でもそのときにできた知り合いには、まだ普通に連絡できる相手が何人もいますよ。ネトウヨですけど普通に友人だったりする。詳しくは後で話しますが。

**石井**　藤倉さんとフリーチベットの接点はどこにあったのでしょうか。

**藤倉**　２００６年からオーマイニュース（OhmyNews）というメディアで記事を書いていました。オーマイニュースはもともと韓国でスタートした市民記者によるニュースサイトで、２００６年に日本語版が設立されて、途中で名前を変えて２００９年まで運営されていました。フリーチベットとの接点があったのは、オーマイニュースの記事の取材のためでした。

**石井**　なるほど。ちなみにオーマイニュースは2ちゃんねるではどのような扱いだったのですか。

**藤倉**　オーマイニュースは韓国系であり、さらに盧武鉉大統領をはじめ韓国の政治家と強いつながりのあるウェブサイトだったことからそんなに好意的には扱われていませんでした。看板だけではあったのですが編集長が鳥越俊太郎氏で、オーマイニュースが既存メディアのオルタナティブを謳っておきながら鳥越俊太郎氏自身はネットを敵視していたために創刊直前の「ITmedia」でのインタビューで「2ちゃんねるはゴミため」と発言して炎上しました。また一般市民が記事を書くというのが売りでしたが、ライターとしての訓練も経験もない「市民記者」が変な記事を書くと度々炎上して、数年で潰れてしまいました。

**石井**　藤倉さんはフリーチベット関連でどんなところに取材に行きましたか。

**藤倉**　北京五輪の聖火リレーを見に行くために長野に行ったり、胡錦濤が来日するときに早稲田大学で行われたデモなどに行きましたが、右翼もいれば、対抗してダライ・ラマを揶揄するような中国人留学生もいましたね。機動隊もいてグチャグチャになっている様子も見ましたね。早稲田のデモは60年代や70年代のような光景でした。

**安田**　あの光景に興奮した年配の方は多かったでしょうね。

## フリーチベットが起こるまで

**安田**　２００８年春のフリーチベット運動大規模化の契機は同年３月のチベット騒乱です。その後、北京五輪の聖火リレーに抗議する動きが全世界的に広がるわけですね。それが日本でも起きました。
ただ日本の場合、抗議の動きが広がったのは、基本的には2ちゃんねるやミクシィを中心とした
ネット空間。主要メディアでは大きくは扱われませんでした。それで、長野で行われる北京五輪の聖火リレーで抗議しようというのがネットで盛り上がったわけですね。海岸ゴミ拾いやのまネコ問題といったこれまでの様々なオフ会と同じように、政治運動であるフリーチベットの現場に向かう人たちが出てきた。

当時は「やらない善よりやる偽善」ということばがネット上で流行っていましたが、2ちゃんねる上ではこのデモは何となく「正義」であると捉えられていました。それまでに醸成されていたマスコミへの不信感も合わさって、かなり盛り上がったわけです。

**石井**　いっぽうでミクシィの方はどうだったのでしょうか。

**安田**　ミクシィは当時、2ちゃんねると比べるとリアルの社会との連続性が強く、いわゆる「普通の人」に根付いていたSNSだと思います。当時ミクシィでもチベットの件について「なんかひどいよね」という空気が広がり、何かやろうと盛り上がっていた。チベット問題は「普通の人」から見てもひどい話だったわけです。

**藤倉**　ミクシィは「いい人」たちのコミュニティですよね。

**安田**　2ちゃんねるの人々は「やらない善よりやる偽善」というひねくれたモチベーションで、ネタ的なイベントと変わらない気持ちで加わった人も相当いると思います。なにより、私もそういう気持ちはゼロではなかったですから。もちろん私の場合は、過去に四川省のチベット自治州に行っ

たことがあってチベットへの同情心が強かったり、いちおうは仏教徒だったりと別の理由もあるのですが。

## 参加者に衝撃を与えた長野の聖火リレー

**安田**　そんな感じでいろんな人が長野に向かったわけですが、いざ現場に行ってみると、そこは中国ナショナリズムの最前線でもあったわけですね。日本全国から中国大使館・領事館の指示を受けて動員されたであろう、留学生会や同郷会の中国人らが数千人とやってきて、大量の五星紅旗を振り回しながら「中国加油」（中国頑張れ）などと叫んでいるわけです。ノリで来た2ちゃんねらーやいいことをするつもりで来たミクシィユーザーは、まずはこの光景を見てドン引きしました。

**藤倉**　中国ヤバいという感じでしたね。

**安田**　私自身、「日本国内でこんなことやっていいのか？」と正直思いました。日本、ナメられてんなあと。

**藤倉**　さらにその感情に拍車をかけたのが、衝突が起きないように両者を引き離していた主催者と警察で、結果として中国人側が目立つ場所にいて、フリーチベットの人をそこに近づけさせなかったわけですね。

**安田**　そこで、「どうして警察が中国を守っているんだ」という話になる。ああいう場での警察の仕事は、イデオロギーに関係なく予測不可能なトラブルを防止することなので、当時の対応はある意味で当たり前なんですが、フリチベ側の参加者の多くは街頭政治運動の素人。そういう不文律を知りませんから、理不尽だと激怒したわけです。

**藤倉**　その通りです。どうして俺たちを聖火リレーに近づけさせず、中国人だけを近づけさせるのだという話になりますね。

**安田**　現場に動員された中国人から見ても驚きがあったと思います。実は朝の時点では、日本人とハイタッチするような和やかな雰囲気もあった。私も実際、面白がって中国人とハイタッチしていました。それが数時間後には、チベットサポーターをはじめ聖火リレーに反対していたいろんな勢力が合体して数千人にふくれあがり、中国側との罵り合いになって、実際に棒で殴り合ったりペットボトルを投げ合ったりするレベルで中国人側の数千人と激突するわけです。警察が止めるのにも限界があって、実際の罵り合いや殴り合いが夕方まであちこちで発生していました。

**石井**　ミクシィにいそうな人も2ちゃんねるにいそうな人もですか？

**安田**　ミクシィ系か2ちゃんねる系かは、もはやあまり関係なかったと思います。そもそも現場で罵り合いや殴り合いが起こると思ってデモに行っていない。衝突は偶発的に発生したものでしかないですが、それゆえにみんなカッとなっていたのでしょう。

**藤倉**　中国人の方も興奮して詰め寄っていっていたので、フリーチベットの方から衝突しに行ったとは限らないですね。

**安田**　中国人から見れば、チベット旗を振るような人間は問答無用で、彼らの国家分裂をたくらむ「反華分子」。つまり、それほど政治性がない人ですらも、100パーセントの「悪」だと感じられる存在ということになります。そういう悪の連中がこんなにたくさんいる。「日本右翼分子」とチベット独立論者が結びついていて、中国を転覆させようとする陰謀を企てて、中国の晴れ舞台である北京五輪を妨害する「テロ行動」を行っている。そんなふうに見えたわけです。かなりの衝撃と、「祖国の五輪を守らねば」みたいな気持ちになってしまったことは想像に難くない。

いっぽう、最初は軽い気持ちできていたはずの2ちゃんねるやミクシィの日本人たちも、五星紅旗だらけになった長野の街をみて恐れと嫌悪感を抱くことになります。最初は中国人側も五星紅旗だけではなく日の丸も出していましたが、途中から五星紅旗しか見せなくなりました。だんだん興奮してきて、日本語も話さなくなり、聖火リレーを応援に来ているはずなのに「中国加油」としか言わなくなります。

それを一般の日本人、まぁ2ちゃんねるの人たちを「一般」と呼んでいいかはわかりませんが、2ちゃんねるやミクシィを通じて集まってきた人々が見たときの恐れってハンパないものだったと思います。数千人の中国人が赤旗を振りながら、わからないことばで絶叫し、さらにこちらを憎悪の目で見てくると。

**藤倉**　僕ですらオーマイニュースで「長野が中国の自治区になってしまった」という趣旨の記事を書きましたからね。

## 「普通の人」が中心だった長野

**石井**　いっぽう、フリーチベット側ではどんな人が長野にいたのですか。

**安田**　まず、伝統的なチベットサポーターが少数ながらいます。ほかは「野良ネトウヨ」も含めた2ちゃんねらーや、ミクシィを通じて集まってきた「普通の人」が主な参加者。もっとも、組織的に参加している人々もある程度はいました。

**石井**　なるほど。例えばどんな人がいましたか？

**安田**　後に行動する保守の代表格となっていく桜井誠たちのグループ、その先輩格で「主権回復を目指す会」の西村修平たちのグループは、現場やその後の動画で目にしました。

**藤倉**　ちなみに西村修平はそれ以前からチベット支援をしていましたね。
　当時は在特会がまだ、後年に見られるような街頭闘争を習得していなかった時期です。主権回復を目指す会が街頭で荒々しい街宣を行う様子を見て、在特会はやがてそれを真似していくのですが。彼らが路上にではじめた頃で、右翼とは空気の違う若い冴えない集団という印象でしたね。

**石井**　これら在特会周辺の人たちは2ちゃんねるでよく活動していたのでしょうか。

**安田**　2ちゃん文脈は踏襲しています。2ちゃんねる上で流布されていた嫌韓イデオロギーをコピペしたのが初期の在特会と言えるかもしれません。他に見たのは「維新政党・新風」という極右系の小政党ですね。

**藤倉**　長野では日の丸を振っていた人もいたわけですが、それはイデオロギーを示したものというよりかは、中国が嫌がるから日の丸を使っていたという感じでしたね。

**安田**　フジテレビやＴＢＳなどのマスコミに嫌がらせをしたいという気持ちもあったでしょう。オーマイニュースもかなり嫌われていて、2ちゃんねるで彼らに嫌がらせをしようというのもありましたね。

**藤倉**　だけど、チベット問題について積極的に書いていたからか、僕には何の攻撃もありませんでしたね。基本的に嫌われていたのは鳥越俊太郎や編集部で、あとはオーマイニュースでネットを偉そうに語る奴とものを知らないで記事を書く一般記者が嫌われていました。チベット関係の記事も含めて個々の記事に関して僕自身が炎上したことはありませんでしたね。

## ウイグル人団体の芽生え

**安田**　そういえば長野には、後に世界ウイグル会議の日本代表として日本ウイグル協会の代表となるイリハム・マハムティもいました。そこで彼が初めて、東トルキスタン旗（キョック・バイラック）を堂々と掲げた。イリハム・マハムティは私の本（『移民・棄民・遺民』角川文庫、2019年）にも詳しく書いた通り、さして道徳的な人間ではないし、周囲のウイグル人への人徳があったとは言えないわけですが、それでも長らく代表でいられたのはこのデモで最初に東トルキスタン旗を出した、「旗を立てた男」という神話がその後も残り続けたからなんですね。

2012年に東京で世界ウイグル会議が開催されているように、日本は世界の中でも在外ウイグル人の民族運動が盛んな方です。在日ウイグル人の政治化が強まったきっかけは、間違いなくあの長野のデモです。

**石井**　チベット旗を持っていた人たちもいましたね。彼らはどんな人たちだったのでしょうか。

**安田**　まず、日本国内のイデオロギーとは距離をおいて、昔からチベットの支援を行っている人たちが、少数ながらいました。いっぽうでネット発の参加者は、いろいろです。チベット騒乱から長野の聖火リレーまで時間があったので、個人的にチベット旗を調達して持ってきた人たちもいましたし、ミクシィなどでチベット旗やプラカードを印刷できるネットプリントの番号がシェアされていたため、セブンイレブンで印刷してきた人もいました。

**藤倉**　チベットとウイグル両方サポートしている人もいましたね。

**石井**　その時点で、両者のサポート関係は今と同じだったわけですね。他にはどんな人たちがいましたか。

**安田**　あの現場はアジアにおける「共産主義に敗北した諸民族の祭り」みたいな一面もあって、南モンゴルの旗も……あったかな。確実に出ていたのは往年の南ベトナム国旗です。南ベトナムは中国と直接関係がないのですが、反共という点で一致していたわけですね。

## 聖火リレー後も継続し続けるデモ

**安田**　結果として、普通の心清き人から「主権回復を目指す会」、オールドな右翼や反スターリン主義の新左翼、さらに南ベトナムの回復を願う人と呉越同舟だった数千人のアンチチャイナ勢力は長野で敗北したわけです。何に敗北したかというと、まず現場において制圧されたということ。ただ、もっと大きかったのは、冷たい雨の中でどう考えてもオリンピック精神から外れているとしか思えない中国人軍団と陰惨な戦いが繰り広げられたのに、家に帰ってテレビを見たら長野の聖火リレーが何事もなく無事に終わったことになっている。あ、ランナーの萩本欽一が「欽ちゃん、びっくりしちゃった」くらいは言っていたかな（笑）。

あの混乱をまともに伝えていたのは、北京五輪とスポンサー関係が薄そうな地方局と、あとはネットの動画くらい。雑誌もたぶん書いていたと思いますが。

**石井**　ミクシィや2ちゃんねるにいる人々は、その後ネット上でどのように反応したのでしょうか。

**安田**　聖火リレー当日は混乱していたわけですが、その後数日かけてミクシィと2ちゃんねるで怒りが盛り上がったという印象です。ニコニコ動画なんかで現場の様子を見ていた人も含めると、数万人単位で怒った人がいたかもしれない。こういう人たちが日本の大手マスコミと中国への怒りを爆発させて、その後はしばらくいろいろ荒れるわけです。5月6日には代々木でフリーチベットデモがあって、主催者発表で4千人程度が参加しました。国際問題をテーマにした日本のデモとしては、その後は2022年春のロシアのウクライナ侵攻に対する反戦デモまで、数千人規模のデモはあまりなかったんじゃないでしょうか。

**石井**　いっぽう、ネットは？

**安田**　来日中の胡錦濤を、2ちゃんねらーがひたすらチベット旗を持って追いかける抗議とか、やってる人がいましたね。警察に妨害される様子が、延々と2ちゃんねるなどで実況される。あと、2008年5月8日に、胡錦濤の訪問先だった早稲田大学で起きた騒乱。私は現地で見ていないのですが、大学内で五星紅旗を持つ中国人留学生とチベット旗を掲げる人々が衝突したようですね。そのあとも1年ぐらいは、チベット・ウイグル・南モンゴル関連の民族デモに、長野や早稲田の騒乱の現場にいたような人たちが参加し続ける現象が見られました。

**石井** 実際現場で見た感じですと、どういう属性の人が参加していましたか。

**安田** ２００８年時点で30代ぐらいがマスだった気がします。当時26歳の私よりちょっと上くらいかな。私の主観でしかないですが、学歴は男性の場合は大学は出ているけどそんなにいい大学は出てなくて本当のインテリはおらず、難しい本も読まなさそう。正社員だとしてもパッとしない会社の人たち。でも、純粋なブルーカラーやニートは少なかった印象です。代々木のデモだと、男女比は7：3くらいでしょうか。その後にデモが先細りするにつれ、男性比率が上がった印象です。

**石井** その後も引き続き参加を続けた人は主に野良ネトウヨという感じでしょうか。

**安田** 6月以降は普通の人が減って、野良ネトウヨ系の比率が上がっていった印象です。もともとはネトウヨじゃなかったけれど、参加するうちにネトウヨになっていった人も少なくない印象でした。それを見ていて政治団体が作れるのではないかと思った人もいたはずです。その過程で明確にスカウトを行っていたかは別として、彼らの一部はやがて在特会や「頑張れ日本」に吸収されていきます。

**藤倉** 当時は、チベット騒乱の犠牲者を追悼するイベントも行われていましたが、そこに来る人は少なかったという記憶があります。チベットそのものが好きという人しか、そこには来ない。デモに集まる数千人の人たちは、基本的には中国を批判するためだけに来るだけで、チベットそのものにコミットすることはなかった。

**安田**　おそらく、自分が正義だと思う側に立って大衆運動を行うことに魅力を感じてしまった人が相当数、数百から千人ぐらいはいたと思います。チベットが世界地図のどこにあるかも分からないけど、マスコミに腹が立つから参加しているような人も結構いたと思いますよ。そうした2ちゃんねる系の野良ネトウヨの一部は、街頭運動の経験を積み重ねたことで、やがて2011年のフジテレビデモの中心を担うまでになっていきます。

**藤倉**　あの頃の在特会はチベットの勉強会も開いていたりと、嫌韓専門ではありませんでした。初期は桜井誠自身が注目を浴びるために乗るべきムーブメントを、見定めていたのだと思います。まだインディーズ時代で音楽性が定まっていない感じですね。

## 「純粋フリーチベット」

**石井**　少し話は変わりますが、もともとチベットが好きで、純粋にチベットを応援したいという人もいたのでしょうか。

**安田**　いました。伝統的なチベットサポーターを含む、チベットそのものを純粋にサポートしている人たちはネトウヨ文脈とは全く関係ないですね。彼らを「純粋フリーチベット」と呼びましょうか。反中文脈とも関係ありません。チベットに旅行に行って好きになりました、みたいな人が多くて、チベットに行く以上は中国国内を通過しないといけないですし、現実を知っている分そんなに過激な人は生まれようがない。あと、そもそもチベットにまともにハマると、ダライ・ラマ14世の著書やチベット仏教にも触れるわけで、慈悲深い平和主義者になる（笑）。現在については、チベット問題はすでにネトウヨにとって美味しく便乗できるネタではなくなっています。そんな今でもチベットを支援する人々は、基本的に純粋フリーチベットです。人権問題として心を痛めて活動している。

この「純粋フリーチベット」の人々も2008年のデモ現場には、ある程度いたはずです。例えば代々木公園でのデモの前にはトークイベントがあったのですが、そのトークイベントの主催は「純粋フリーチベット」系の人たちで、モーリー・ロバートソンもそのトークに出ていました。

**石井**　モーリー・ロバートソンは「『反中国』ではなく『反独裁』で民主化を求めて行きましょう」ともツイッターで呟いていて、確かに反中を最前面に掲げるような人ではないですね。

もう一度確認なのですが、長野であれだけ人が集まったのは「純粋フリーチベット」の人たちが集めたからというわけでは全くないわけですね。

**安田**　そうですね。むしろあれだけ集まったことや、その後の政治的な混乱を、全て彼らの責任するのはかわいそうです。2019年の香港デモに置き換えて説明するなら、李柱銘（マーティン・リー）あたりが芯にいて、そのまわりにジョシュア・ウォンや周庭さんがいる、彼らが「純粋系」。いっぽう、デモの高揚に便乗して香港の地下鉄を燃やしていた黒装束軍団が野良ネトウヨみたいな人たち（笑）。最初は一般人だったのに闘争のなかで先鋭化して地下鉄燃やすマンにシンパシーを覚える人もいっぱい出てくる。

**石井**　見覚えのある光景が……。

**安田**　「地下鉄燃やすマン」は「純粋系」の人間に対しては親しみを持っていないけど、総論賛成でデモに参加している、根無し草の過激派です。

**藤倉**　そういえば、安田さんの言う「純粋フリーチベット」と、保守系にかなり近い政治学者のペマ・ギャルポには距離があったと思います。ペマ・ギャルポは現在は日本に帰化したチベット人ですが、脇が甘くていろんな人とつるんでしまう。例えば、本人は後に後悔していますが、オウム真理教の麻原彰晃をダライ・ラマ法王庁に紹介するようなことをしています。私は中国政府の目をくぐり抜けてチベットに取材に行ったことがあり、その後にペマ・ギャルポが主催する勉強会で発表したことがあります。その際に純粋フリーチベット系の人に言われたのは、「やめろとまでは言わないが、彼のところに顔を出していると色がついて、『純粋系』の人との人間関係が面倒くさくなるよ」というアドバイスをされました。対立とまでは言いませんが、「純粋系」とペマ・ギャルポの間にはかなり溝があるようでした。ペマ・ギャルポが右翼や国際勝共連合（旧統一教会系）とつるんでいるからというだけではなく、過去の揉め事など要因はいろいろありそうでしたが。

フリーチベットに限らず、これらデモの現場はネトウヨっぽいものとそうではないものが混在しているのが常だなと思います。フリーチベットでも参加している人みんながネトウヨなわけではないわけです。こうして整理してみるとイコールで見るのは雑に見えますね。

**石井**　ネトウヨとは何か、という問いに迫ってきましたね。

**藤倉**　そうですね。内実がよく分からない人からするとフリーチベット＝ネトウヨになってしまい、それでフリーチベットを敬遠している人もいましたね。

**石井**　今回は話を伺うまで、実は私もそう思っていました。

**藤倉**　確かに数の上ではそうなってしまうわけですが（笑）。そういえば最近では、ミクシィにいたような「純粋フリーチベット」の人がQアノン信者になっているんですよね。チベットを好きな人は反中国の傾向だというのもあると思うのですが、それとはまた別に「自然派」（大量消費社会に対して嫌悪感を抱き、自然由来の食品を使うことで身体や社会が浄化されるという発想を持つ人々を指す総称）の人が多くて、ワクチンへの嫌悪感から反ワクチン言説を入口にしてQアノン的陰謀論に入り込んでしまうわけですね。Qアノンとネトウヨを同一視してしまう人もいると思いますが、両者もまたルーツが異なることがあります。こういう感じで、常に2ちゃんねる的なものとの重なりとズレはきちんと言っておかないといけませんね。

## フリーチベットは2ちゃんねるの何を変えたのか

**石井**　これまでの話と重なるところもあると思いますが、フリーチベットは2ちゃんねるの何を変えたと思いますか？

**安田**　フリーチベットは一部の野良ネトウヨが街頭に出るきっかけになった出来事です。フリーチベットやウイグルに関係する人たちは絶対数が少ないので合流していくことになりますが、そうした過程のなかで形成されたネトウヨ系の反中団体が「日本ウイグル協会」です。最近はウイグル問題があまりにも深刻すぎるせいで他の在日ウイグル人が積極的に加わるようになり、ネトウヨ団体の性質がかなり薄れてまともな少数民族運動団体っぽくなっているのですが、当初の日本ウイグル協会には会長のイリハム・マハムティ以外にウイグル人メンバーがおらず、他メンバーは英語も中国語もウイグル語もわからない右寄りの人たちが多くを占めてきました。２０１４年頃だと、「頑張れ日本」と一体化に近いくらい距離が縮まっていたんじゃないかな。また、日本ウイグル協会に行かなかった野良ネトウヨのなかには、デモへの陶酔感や中国・韓国への憎しみを抑えられず在特会やチャンネル桜に取り込まれた人がかなりいたと思います。

そうやって組織化していくわけですが、いっぽうでフリーチベットを契機に、２ちゃんねる発の「野良ネトウヨ」によるオフ活動的な政治デモも、一時活発化しました。その頂点と言えるのが、２０１１年夏のフジテレビ抗議デモです。

**石井**　フジテレビ抗議デモは、韓流ドラマをはじめとして、フジテレビの番組編成が韓国に傾斜しているという声に共感した人たちが集まって複数回行われたデモですね。その中でも２０１１年８月21日のものは５千人以上集まったとメディアに報道されるほど、多くの人々が集まりました。

**安田**　当時、他の政治意識が高い日本国民は原発反対デモで盛り上がっていたなか、たかが韓流ドラマの放送に抗議するために６千人の人々が集まったわけですね。何やねんこいつら、としか言いようがないわけですが。

**石井**　彼らはフリーチベットと明確なつながりがあると思いますか。

**安田**　あります。というのは、フジデモの主催者の一部は、２ちゃんねるからフリーチベットに参加した人たちなんですよ。彼らはフリーチベット運動の後、しばらくウイグル関連のデモなどに参加するなかで、デモそのものにハマったり、オフ会的な楽しさを覚えるようになっていった。しかも終わった後飲み会をやるとさらに楽しい。

**藤倉**　例えば、あの頃出てきたのが黒田大輔を代表とする日本を護る市民の会（日護会）です。彼らは日蓮正宗に近く、様々な政治的主張の中でも特に「反創価学会」を選びました。創価学会の総本部がある信濃町で嫌がらせのデモをやったり、バレンタインデーに名誉会長である池田大作の家に演説しながらチョコレートを届けに行ったりしていました。

**石井**　確かにそれは2ちゃんねるのオフ会の文脈を引き継いでいる感じはありますね。

**安田**　現在のネトウヨ史のなかでは、在特会は「行動する保守」の代表格のようなイメージがあるのですが、実は在特会が覇権を握る前には小規模なネトウヨ団体が乱立していました。その中でも日護会は大きい方でした。あとは排害社というのもありましたね。排害社のロゴマークにも「ニダー」（当時の2ちゃんねるで用いられていたアスキーアートキャラクター「モナー」の派生形で韓国・朝鮮を揶揄するニュアンスを含む）が使われているなど、明確に2ちゃんねるのネトウヨとの連続性を打ち出していました。逆に在特会の先輩に当たる主権回復を目指す会は途中から失速していくわけですが。

野良ネトウヨは2ちゃんねる発なので、リアル社会との連続性が強いミクシィ的な文脈よりも、悪ふざけ的でアングラ的な2ちゃんねる文脈で動いていた。後年に登場する「体制ネトウヨ」とも、彼らは違う存在です。この「体制ネトウヨ」というのは私の造語ですが、彼らはすなわち２０１０

年代から活発化する百田尚樹や有本香、竹田恒泰、門田隆将、杉田水脈といった、従来のネトウヨのテクストをなぞった主張を行う保守系論壇人や政治家たち。彼らの主戦場はテレビや書籍のほか、ツイッターやユーチューブです。「体制ネトウヨ」は「野良ネトウヨ」とは違い、自民党を支持する傾向が強いほか、公明党の支持母体である創価学会や、自民党安倍派と関係が深い旧統一教会をほとんど非難しないという党派的な特徴を持っています。いっぽうで往年の野良ネトウヨはタブーがないので、彼らは在日朝鮮人に対する排外主義的な思想を色濃く出すだけではなく、中韓と仲が良いという理由で創価学会に対するアンチ思想も強い傾向にありました。

**藤倉**　2ちゃんねるの文脈では統一教会を「朝鮮カルト」と平然と言っている人もいましたね。ただ体制ネトウヨは統一教会の悪口も言いません。

**安田**　昔の2ちゃんだと「安倍壺三」とかいって、アスキーアートまで作られていたのになあ（笑）。

**石井**　いまヤフコメにいるような人たちは、体制ネトウヨなのでしょうか。

**安田**　両方いるかな。でも純粋な野良ネトウヨは、ヤフコメにもほとんど残っていないと思います。彼らはネタ的な側面もそこそこあって、本気で政治思想を掲げていないところもあったので。

**藤倉**　最近は野良ネトウヨが楽しめるような祭りがないんですよね。体制ネトウヨがやるような祭りを彼らは楽しめない。

**安田**　そうですね。それこそ「頑張れ日本」が主催するような尖閣デモって野良ネトウヨ的には何も楽しくないですから。

**石井**　どういうところが楽しくないのでしょうか。

**藤倉**　旧来的なオーソドックスな政治運動で、ひねったりシャレを利かせたり小馬鹿にしてせせら笑ったりという「ノリ」がないという辺りじゃないですかね。ツイッター等で嫌味を垂れ流したり嫌がらせをしたりというレベルでは混在してるかもしれないですが、頑張れ日本のようなデモは「それなりにオーソドックスな運動に関心や熱意を向けることができるタイプ」の人々がすることですから。

## ポスト・フジテレビデモ

**安田**　ところで、実は2011年8月21日のフジテレビデモは二段構えで起きています。一段目は組織化されていない野良ネトウヨのデモでした。彼らは2ちゃんねるの文脈を引き継いでいるのでネタ要素も強く、その象徴が「チャングンソクって誰だ～」というコール。確かに「CMでゴリ押しされているチャングンソクって、誰なんだよ」と、デモ隊のシンパじゃなくても思わず考えてしまうし、耳にするとちょっとニヤッとするじゃないですか（笑）。いっぽう、二段目としては、一つ目のデモの後に頑張れ日本によるデモが同じ日に行われていました。フジデモは2ちゃんねる系野良ネトウヨの政治運動のピークですが、いっぽうでネトウヨ系のデモが在特会やチャンネル桜のような組織デモに転換していく分水嶺にもなっています。

ネットユーザー主催のデモは、2ちゃんねる自体の衰退もありその後は徐々に衰退していくんです。フジデモの後、野良ネトウヨ系のデモがどのように縮小していったかというと、近年の香港デモと同様、仲間内のエコーチャンバーによって自分たちの中で勝手に敵を作っていった。しかも、主張がハイコンテクストすぎて、わかりにくくなっていった。

**石井**　香港デモの場合は、一部の過激な抗議者が香港の地下鉄駅や親中派と彼らがみなした商店を壊し続けたり、自らの論理で商店や飲食店について民主派・親中派の色分けを行ったわけですが、それらの正当化を対外的にうまくやったためにデモがなかなか縮小しなかったと言えるかもしれませんね。当時の日本の場合はどうだったのでしょうか。

**安田**　具体的には2ちゃんねらーたちは韓流ドラマを流すフジテレビだけではなく、フジテレビのスポンサーに抗議するようになります。例えば、韓流ドラマは既婚女性の人気が高いので、花王がスポンサーだったりするのですが、それで「反日」企業であるからけしからんと、デモの対象になる。しかし、当時、もう自分はライターの仕事をしていて花王の広報の人と顔を合わせることもありましたが、その広報担当者にデモについての感想を聞くと「製品について抗議されるなら対応したいのだが、いきなり反日だと言われても何が何だかわからない」と言っていたことを覚えています。それなりの人数が集まって、ベビーカーを押している女性や和服の女性まで加わって、日の丸を振りながら「花王は日本を売るな〜」ですから、なにがどうなっているのかと（笑）。抗議されている花王にとってワケがわからなければ、他の人にとってはもっとわからない。結果としてデモから人々が離れていきます。

フジデモや花王デモに参加した野良ネトウヨには、実はフリーチベット時代の友達が何人かいるんですよ。彼らは同じ2ちゃんねらーなので、イデオロギーを意識しなくても仲良くなれた面があったので。だから私は割と内情を知っているんです。で、フジデモの主催者の一人に、当時どこかの出版社から本を書かないかとオファーがあったらしいのですが、彼らは断ったらしいんですね。当時の2ちゃんねらーらしく「デモで金を稼ぐのはよくない」と、例によって他者にはハイコンテクストすぎて理解されにくい謎の潔癖性を発揮(笑)。こうして彼らは、本を書くことも自分たちの主張を世間に問うこともなく消えていったわけです。

**藤倉**　2ちゃんねらーらしいですね。

## その後の安田さん

**安田**　私自身は2008年当時、非正規労働者でした。同年のフリーチベットのデモに参加していますが、2009年以降は参加していません。いっぽう、この時期には中国の大規模掲示板を2ちゃんねる風に翻訳して紹介するブログを書いていて、やがて編集者の目に留まり2010年4月に講談社から本を出版した。それからずっと専業でライターをしています。

**石井**　安田さんの過去、思ったよりも壮大な話でした。

**安田**　ゼロ年代から2010年代前半までの等身大のネトウヨ史について、なかば当事者という視点から話をしっかりできる人は私と古谷経衡さんぐらいだと思います。フリーチベットがフジテレビデモにつながり、さらにその動員力に目をつけたチャンネル桜や、さらに百田尚樹氏らに象徴される体制ネトウヨにどうつながっていくのかという話は特にそうですね。

**藤倉**　2011年のフジテレビデモの時代ぐらいになると、幸福の科学がウイグル問題に乗ってくるようになっていました。2010年には、石平やイリハム・マハムティなどを呼んでシンポジウムを開催したこともありました。

　その後2013年には当時世界ウイグル会議の議長であったラビア・カーディルに幸福実現党党首の釈量子がインタビューするという企画もありました。

**石井**　今までの話と古谷さんはどう関係するのでしょうか。

**安田**　2011年の夏、フジテレビデモについてチャンネル桜が中心に書籍化することにしたわけですが、それを水島総氏に頼まれて実際に執筆したのが古谷さんだったんですよ。古谷さんはその後もしばらく、チャンネル桜系の識者として活動されますが、やがて2014～2015年頃にネトウヨ系論調の限界を感じて離れることになります。

**石井**　なるほど。いっぽうで安田さん自身はネトウヨにならなかったのですね。

**安田**　私も本来の出自は野良ネトウヨに近いのですが、さすがにリアルの中国を知っているので、チャンネル桜やその後の体制ネトウヨと歩調を合わせるのには無理がありました。あと、ライターとしてのデビューが大手出版社だったこともたぶん大きいです。実は第1冊目の刊行は講談社が何度も渋ったので、企画をネトウヨ本が多い飛鳥新社に持っていくという話が浮上したことがあった。あのときの運によっては、私のその後の人生はかなり変わっていたでしょう。

**石井**　確かにそうですね。

**安田**　ただ、特にキャリアの最初期はネトウヨを敵に回さないスタンスではありました。「〇〇を叩き出せ！」といったヘイトはもちろん言わないけど、当初はある程度気を付けていたところがある。２０１０年頃まで、大手メディアではネトウヨはアンタッチャブルなもので存在しない扱いでしたが、ネット文脈でネトウヨの悪口を言うのはすごく勇気のいることでした。ネット空間でネトウヨの悪口を言うとひどい目に遭いましたし、書籍デビューしたてで自分が食っていくだけで精一杯の新人ライターが、ネトウヨ批判なんてやれない情況でした。

なので、実は「レイシストをしばき隊」を見たとき、最初はホッとした気分になったのも事実なんですよ。私がツイッターを恒常的に見始めたのが２０１０年ぐらいで、ちょうどしばき隊が出てきた時期です。しばき隊がネット空間から、「ネトウヨはダメです」と明確に言ったのは解放感がありましたね。いっぽう、その後のしばき隊に対する幻滅や嫌悪感も大きかったですが。彼らも狭量さの点では、在特会とたいして変わらないように思えるし。

## しばき隊もフリーチベット出身

**石井**　そういえば、レイシストをしばき隊の野間易通氏もフリーチベットに参加していたと聞いたことがあるのですが。

**安田**　野間さんはフリーチベットに参加して、その後しばき隊に参加したみたいです。はっきり言うと、２０１０年代前半に日本の街頭を騒がせた在特会系勢力とそれにアンチで参加するしばき隊勢力は、実はどちらも２００８年５月の長野や早稲田のフリーチベット騒乱を原点のひとつにしている。参加者らもそうでしょう。それまでにデモに興味がなかった人が、大勢で声を上げてなにか難しいことを言う快楽に酔いしれた。結果、反韓・反中カルトにハマった人たちは在特会やチャンネル桜にいくし、そうでない人たちはしばき隊に行ったという感じですね。

**石井**　在特会の人もしばき隊の人も、元は同じデモに参加していたと思うと興味深いですね。

**藤倉**　野間さんは最初はミクシィで活動していたと思います。２ちゃんねるでの野間叩きはミクシィの野間の発言を元にしたものでしたね。

**安田**　２０１０年代のもう一つの社会運動といえば脱原発運動ですが、あちらの中心は学生の頃からずっと運動をやっていた人たちのようです。いっぽうで野間さんはフリーチベットで目覚めた感じの人。だから、前者と後者は同年代だけど立場も思想もちょっと違う。右についても似た図式はあります。桜井誠と同じ年代で昔から活動しているガチ右翼もいるけど、もちろん桜井誠とは全然違う。有名な人ですと、統一戦線義勇軍の針谷大輔氏なんかは、ネトウヨ系とは全然違う立場の右翼ですからね。当然ながらヘイト的な言説にも与していないし。

## 2ちゃんねるがつくった断層

**石井**　ここからは清さんも入れてお話をしたいと思います。清さんは2ちゃんねるをどれくらい見ていましたか。

**清義明**　私はこのメンバーの中では年上なのですが、２０００年頃は2ちゃんねるのヘビーユーザーだったけど、２００５年ぐらいからほとんど使わなくなりました。理由は、差別投稿が手がつけられないほど増え、見るだけで腹が立つようになったからですね。

先ほど野間さんの話をしていましたが、フリーチベットには右翼だけではなく左翼も相当入り込んでいました。これを機に、在特会も含めて既存の左翼・右翼のネットの使い方が、後から振り返るとガラリと変わった感じがあります。その後ユーチューブの時代になるわけです。在特会を語る上で転機になる事件はカルデロン一家へのデモです。カルデロン一家は中学生とその両親の３人のフィリピン人の家族で、両親はオーバーステイによる強制帰還を迫られており、強制帰還に反対する人々によって様々な活動が展開されてきました。ところが、フリーチベットの少し後の２００９年、在特会はこの家族と人道支援の動きに反発して、逆に強制帰還を求めて、この家族の中学生の子どもが通う中学校や東京入管の前で、聞くに堪えないようなシュプレヒコールを上げてヘイトデモをしました。

在特会は当日のデモの様子をユーチューブに投稿し、支持者を増やしました。これが、ネットを使ってここまでしていいんだという一つの道標になった。

**石井**　こうして伝統的右翼とは異なるネトウヨ的な人々が現実の政治的空間に多く流入してきたわけですね。

**清**　2ちゃんねるによって、これまでの政治的世界との断層ができたのは間違いないでしょうね。そしてさらに、2ちゃんねるの言説がミクシィやユーチューブを通じてリアルに出てくるようになった。

**安田**　ユーチューブだけではなくニコニコ動画の影響も大きいでしょう。映像がコメントで埋め尽くされる弾幕を集めることは一種の快感だし、同じネトウヨ的な意見の波が同調圧力にもなる。ニコニコ動画やその生配信がなければ、チーム関西が引き起こした徳島事件（在特会やチーム関西のメンバーなどが2010年4月に徳島県教職員組合の事務所で四国朝鮮初中級学校への寄付について抗議活動を行った事件）やカルデロン事件はあそこまで盛り上がっていないはずです。

**清**　しばき隊の初期メンバーの一部はフリーチベット運動に参加している。チベット問題は右にとっても左にとっても共通のテーマでした。北朝鮮拉致問題、香港問題と同じで、右と左が合流する地点です。

**石井**　反原発でも右と左が垣根を超えて合流した部分があると思いますが、反原発はまた違いますか？

**安田**　反原発では桜井誠のようなネトウヨは合流せず、右翼の中でも合流したのは民族派のような人々でした。

**藤倉**　確かに（ネトウヨに近い）幸福の科学も原発動かせデモをやっていました。

**清**　ネット右翼にはいろんな定義があると思いますが、基本的に反リベラル、反権威、反知性であり「正義には嘘がある」という考え方です。反原発もそういう「正義」です。だからそちらには与さない。

**安田**　体験的にこれらの話がつながっている人はいるでしょうね。

## デモの過激化の分水嶺

**石井**　清さんはリアルタイムでフリーチベットを追いかけていましたか。

**清**　その頃はさしてネット発の政治問題に絡んでいなかったので、あまり印象に残っていません。関係者から話を聞いてざっと理解しているけど、いずれも左寄りの人から聞いたものですね。彼らは、初めて実物のネトウヨを見たのがフリーチベットのときだったと言っていました。それで「こいつらになら腕力で勝てる」と考えたのではないでしょうか（笑）。

**藤倉**　そりゃ腕力と、古くから政治にコミットしてきた人間の年季なら勝てるでしょ。

**清**　当時は右翼は暴力的という一般的なイメージがあったのです。ところが在特会がヘイトデモを繰り広げていた新大久保で、はじめて対抗運動が出てきて、怖いと思っていた右翼に真正面から抗議していいんだ、となった。これが反差別運動側の人たちにとっては革新的だったわけです。

**藤倉**　それで社会運動は粗暴でいいんだ、と勘違いしたチンピラが参入する余地を与えてしまったわけですね。

**清**　暴力という側面では優位だという自己認識のもとに、粗暴であっていいんだ、と自己暴走してしまったわけです。右翼に対して正々堂々と意見をいえる、という道筋をつけただけでやめておけばよかったのにと今でも思います。アメリカでは、このように右翼に対して同じ水準で対抗する運動として、ダートバッグ左翼やANITFAがあります。両者ともネットと親和性が高いです。アメリカも日本も同じです。そうして、あのフリーチベットから2年から3年で収拾がつかないほどになったわけです。

**安田**　あの辺りを象徴するものとしてやはりフリーチベットは大きいですね。

## 解説

座談会の要点を概ね内容順にまとめると以下のようになるだろう。

① ２０００年代前半の時点で2ちゃんねらーの反マスコミ的姿勢は見られたものの、2ちゃんねらーの大半が嫌韓・嫌中を含むような現在の「ネトウヨ」のような人々だったというわけではない。現在の「ネトウヨ」が形成されていったのは２００５年の『嫌韓流』ブーム周辺。

② 2ちゃんねる上で明確にわかる形でカルトが活動することは多くなく、カルトがネットに乗り出してきたのはフェイスブックなどのＳＮＳ普及以後。

③ 長野の北京五輪聖火リレーでのチベット問題抗議運動には、2ちゃんねるやミクシィから、政治活動経験を持たない人たちが大量に加わる形になった。その際、「敵」となった中国側の行動は集まった人々に大きな衝撃を与え、その後のフリーチベットデモの長期化に影響したと見られる。

④ フリーチベットデモ自体には、単にチベット好きで参加していた人々やミクシィ経由で参加した人々、ウイグルや南モンゴルの独立を支持する人々など様々な人が参加していた。

⑤　フリーチベットデモに参加していた「野良ネトウヨ」の一部はその後にフジテレビデモを起こす。だが、その後のネトウヨ系の街頭運動は、在特会やチャンネル桜に取り込まれて組織化していった。当初はこれら以外にも数多くの小さなネトウヨ系の政治団体が生じたが、多くは消えてしまった。

⑥　野良ネトウヨによるデモはその後2ちゃんねるの衰退とエコーチャンバーによって衰退していき、組織化されたネトウヨによるデモに置き換えられていった。

⑦　フリーチベットは右翼・左翼が立場を同じくできるトピックである。しばき隊をはじめとする左翼側の人の中にも、フリーチベットデモを通じて政治運動に参加し始めた人が多い。

⑧　政治運動の情報発信の舞台は2ちゃんねるからユーチューブやニコニコ動画、さらにツイッターなどに拡大していった。いっぽう、2ちゃんねるは衰退した。

⑨　フリーチベット運動を機に2ちゃんねるから流入した人々によって、既存の左翼・右翼とは文脈を共有しない人々が政治運動に参入するようになり、これまでの政治的世界との断層が生じた。

どの点も1996年生まれの石井にとっては興味深いものばかりではあるが、「はじめに」で述べた通り、本章は組織化されていない2ちゃんねらーとより組織化されている「行動する保守」がどのように接続していったのかを主なテーマとしているので、3点目、5点目、6点目について着目したい。

3点目が示すのは、フリーチベット運動の一部はオフ会として実施されたという側面が強く、その気軽さから、これまでオフラインでの政治運動に参加していなかった人々も含めて路上デモに参加する機会となったということだ。この段階では、デモはあくまで2ちゃんねるやミクシィ内部の呼びかけで集まってきた人によって行われており、組織化の度合いは弱い。少なくとも組織の名前によって人が集まったわけではない。このような人々のうち、特に2ちゃんねらーを源流とした排外主義思想が強い人たちを、安田氏は「野良ネトウヨ」と呼んでいる。

5点目は、このような組織化されていない政治運動に参加していた「野良ネトウヨ」を取り込む形で「行動する保守」が発展してきたことを示している。6点目は5点目と同時並行に起きていた出来事で、「野良ネトウヨ」によるデモは衰退し組織化された「行動する保守」によるデモが中心となっていった。

これらは右派勢力についても起きたものだが、7点目で記しているように左派勢力にもフリーチベット運動を契機とする類似の動きがあった。結果として、9点目のような右派と左派両方においてこれまでの流れから断絶した新たな政治運動が生じたと言えるだろう。この断絶によって発生した「行動する保守」の流れを受け継ぐ人々は2020年代になってもしぶとく生き残っており、特に反中国の文脈で彼らは未だ強い存在感を持つ。2019年からの香港デモでは日本国内でも在日香港人によるデモが開催されたが、彼らはそこにもすぐ合流し、一部の在日香港人や彼らに近いリベラルな日本人からは「差別主義者が香港を利用すべきではない」

などの批判があった。

2022年11月には中国本土の強硬なゼロコロナ政策に反発した人々などによる「白色革命」デモが発生したが、東京でのデモには「行動する保守」の流れを受け継ぐ人々も中国各地の独立を意味する旗を持って参加した。中国人留学生をはじめとしたデモ参加者の中からはこのような「中国を分裂させようとする日本の極右勢力」と一緒にデモをやるべきなのかという声も上がった。数の上では中国人留学生の方がはるかに多かったわけだが、「行動する保守」の方がデモを乗っ取ってしまったように見えたのである。

とはいえ彼らは「行動する保守」という言葉さえも一般に知らない。あの旗を掲げる日本人たちは一体何なのか、中国人若年層どころかもはや2ちゃんねるをリアルタイムでは知らない日本人若年層にとってもそれを正確に理解することは難しくなっている。2ちゃんねる的なものがこの社会で今うごめくものにどのような影響を与えているのか、私と同世代の人々も含めて2ちゃんねるを知らない人々が理解する一つの資料としてこの座談会と本書が役立つことを編者は願っている。（石井大智）

## フリーチベット運動とその後の関連年表（1999年〜2013年）

| 年 | 月 | 出来事 |
|---|---|---|
| 1999 | 5 | 2ちゃんねるの開設 |
| 2000 | 5 | 西鉄バスジャック事件（ネオむぎ茶事件） |
| | 11 | 加藤の乱 |
| 2002 | 5-6 | 2002 FIFA ワールドカップを日韓で共同開催 |
| | 7 | 湘南ゴミ拾い（２ちゃんねる発の大規模オフの一例） |
| 2005 | 7 | 『マンガ嫌韓流』が発売される |
| | 10 | のまネコ問題が拡大し、松浦勝人エイベックス株式会社社長の自宅への放火をほのめかす文章が２ちゃんねるに書き込まれる |
| 2006 | 7 | 主権回復を目指す会（主権会）が西村修平などによって設立される |
| | 8 | オーマイニュース（OhmyNews）の日本語版が開設される |
| 2007 | 1 | 在日特権を許さない市民の会（在特会）が桜井誠などによって設立される |
| 2008 | 3 | チベット騒乱が起こる |
| | 4 | 長野での北京オリンピック聖火リレーでのフリーチベットデモが行われる |
| | 5 | 中国の胡錦濤国家主席が早稲田大学を訪問した際にフリーチベットデモが行われる |
| | | 代々木公園などでフリーチベットデモが行われる |
| | 6 | イリハム・マハムティ（世界ウイグル会議の日本代表）などにより日本ウイグル協会が設立される |
| 2009 | 4 | 在特会などによりカルデロン一家追放デモが行われる |
| 2010 | 2 | 『頑張れ日本！全国行動委員会』（頑張れ日本）が田母神俊雄、水島総などによって設立される |
| | 4 | 在特会やチーム関西によって徳島県教組業務妨害事件（徳島事件）が引き起こされる |
| 2011 | 8-10 | フジテレビデモが行われる（複数回実施されたが、8月21日のものが最大規模）。9月には同社のスポンサーだった花王に対するデモも行われる。 |
| 2012 | 3 | ロート製薬強要事件（在特会やチーム関西がロート製薬の従業員に竹島の領有権問題などに関する同社の見解を回答させようとし強要罪に問われた事件） |
| | 5 | 世界ウイグル会議第4回代表大会が東京で行われ、ラビア・カーディル代表などによる靖国神社参拝も行われる |
| 2013 | 1 | 野間易通などが「レイシストをしばき隊」を結成 |

# 第2章

## 海賊たちのユートピア
### ――西村博之と匿名掲示板のカリフォルニアン・イデオロギー

清義明

西は東を揺さぶり起こす。迎えるべき朝のある夜は歩け、光と朝餉の運びてよ。朝がくれば過去のすべてが深い眠りにつくだろう。

（ジェイムズ・ジョイス『抄訳フィネガンズ・ウェイク』宮田恭子編訳、集英社、2004年）

### 札幌から連邦議会議事堂へ

すすきのの繁華街のネオンには小雪が舞っていた。

2021年3月、私は札幌にいた。新型コロナウイルスが前年のはじめに日本で確認されてからもう約1年が経過していた。やっと、罹患者と死者数の数が減っていき、これでなんとか落ち着けるだろうと感じていた頃だ。

当時は首都圏では、まだ飲食店が営業時間制限をつづけていた。しかし札幌の夜の街は、北海道庁の要請にもかかわらず、比較的営業をつづけている店が多かった。おかげで私は久しぶりに夜の街に出て、ジンギスカン料理に舌鼓をうちながらビールを呑むことができた。

「北海道って順法精神がすごい低い地域で、逆にフロンティアの開拓精神みたいなのがいまだに残っている。問題があっても雪国で奥が深いから、警察官とか裁判官が絶対に来てくれない。[1]」

かつてこう語っていたのは、西村博之、日本最大のウェブコミュニティサイトだった、匿名掲示板「2ちゃんねる」の元管理人だ。最近ではメディアの露出も多く、肩書に「実業家」と称されるときもある。

2014年に2ちゃんねるをめぐる経営内紛の果てに、同サイトの経営権を乗っ取られ、事実上経営者として追放されたあと、しばらくは彼について話題になることは多くはなかった。しいていえば、週刊プレイボーイ誌上の元ライブドアの堀江貴文との対談連載で姿を見かけるくらいだった。だが、ユーチューバーとして、若い世代にむけて人生訓や社会問題や政治について軽妙洒脱なトーク術を駆使して語り出すようになると、一挙に再ブレイクした。その頃から西村の「著書」をビジネス書の扱いで大手出版社までが次々と出版するようになる。そして売れっ子「作家」ともなった。ただし、著書は本人が書いているわけではなさそうだ。

本人はあっけらかんと、こんなことを言っている。

**ひろ（西村博之）**　僕の本もファミレスとかでしゃべった内容をライターさんや編集さんに

本にしてもらってるので、あとがき以外は僕は書いてないです。

**ホリ（堀江貴文）** 俺なんか、最近はしゃべってさえいないからね。過去の発言とかを引っ張ってきてもらう、通称「コピペ本」（笑）。ベストセラーになった『多動力』（ＮｅｗｓＰｉｃｋｓ ｂｏｏｋ）とかはまさにそうやって作ったもの。まえがきだけ新たにインタビューされたけど。[2]

そのため、自分の著書について西村曰く最近では、「あとがきすらも書いていない」「１文字も書いてない」ということだ。[3]

最近の大手出版社から出されている著書を読むと、どうやらゴーストライターが、堀江貴文のいうところの「コピペ本」として、ユーチューブの発言をマッシュアップして書きあげているとしか思えないものばかりである。そのため、過去の発言や事実とも乖離したり、矛盾したり、不正確になった記述も往々にしてみられる。

このいい加減さは、西村の真骨頂ともいえるところでもあろう。多くのタレント本や経営者の自伝などでもそうやってゴーストライターが使われているのだから、それの何が悪いのか、ということなのだろう。しかし、ここまであけすけだと、なんとも是非の判断もしにくくなる。身もふたもないのであるが、まさに常識の横紙破りな「自由」である。

その西村がユーチューブや著書などで講釈したことが、専門家や学者から事実誤認だと指摘されたり、読者やユーザーから疑問の声があがったりすることも多い。生半可な知識で語られた茶飲み話だと聞いていればよいのかもしれない。

北海道は順法意識が低いという話もそんな程度のことだろう。なお、北海道の公的な犯罪率データなど含めて、この発言を裏付けるような「エビデンス」は存在しない。こんなことを書くのは野暮ではあるが、いちおう書いておくと都道府県別の刑法犯の犯罪率でいえば北海道は28位。全国平均より低いくらいで、むしろ順法意識が高いといえる。

西村が自身のユーチューブチャンネルで、ビジネスから政治や海外文化、学術や歴史の問題まで、あたかも森羅万象について語るかのような姿は、視聴者となっている若者からどう見えているのだろうか。その「博学」ぶりに、ルネサンスの知識人のように思っている人もいるのかもしれない。ユーチューブの視聴者の若者は、2ちゃんねる時代の西村を知らない。だから、私が見てきた西村との印象の違いはあるだろう。私が見てきたかぎり、西村は、博学多才な人というよりは、詭弁を弄するソフィストに似ている。

その西村の「著書」の詭弁が、一世一代の致命的なミスとなったこともある。

例えば、とあるビジネス誌の西村の著書から抜粋された寄稿記事（例によって「自分が書いたものではない」となるのだろうが）についた肩書は次のようになっている。

ひろゆき
2ちゃんねる創設者

本名は西村博之。１９７６年、神奈川県生まれ。東京都に移り、中央大学へと進学。在学中に、アメリカ・アーカンソー州に留学。１９９９年、インターネットの匿名掲示板「2チャンネル」を開設し、管理人になる。２００５年、株式会社に「2ちゃんねる」の譲渡を発表。２０１５年、英語圏最大の匿名掲示板「4chan」の管理人に。（後略）[4]【２０２２年1月アクセス時点】

この文言は、２０１４年に勃発した2ちゃんねるの経営権をめぐる内紛を追いかけていた、古くからの2ちゃんねるユーザーの好事家には、違和感があるだろう。

２００８年10月、西村は突然「2ちゃんねるを譲渡した」と宣言した。シンガポールの会社であるパケットモンスター社に2ちゃんねるの権利を手放したというのだ[5]。

2ちゃんねるを手放して、今やたんなるアドバイザーになったとのことだが、多くのユーザーに、その説明はあまりピンと来なかった。そのためこの宣言は様々な憶測を呼んだ。

だが、その後にこの会社はシンガポールの会社設立代行によって資本金1シンガポールドルで設立され、役員派遣会社に所属する人物が代表取締役をつとめていたことがすぐに明らかになった。ようするに典型的なペーパーカンパニーである。そこに会社を「譲渡」し、自分はたんなる「アドバイザー」になったというのである。

そのペーパーカンパニーの株主が誰であるかは非公開であるから不明だが、西村であることは想像に難くないだろう。その5年後の２０１３年、東京国税局が西村に脱税の疑いで、その収入の中告漏れを指摘された。この時に国税局はシンガポールの会社を実態に乏しいものとし、その会社に還流させて西村が受け取っていた所得に対して追徴課税している。国税局は脱法スキームのための会社として、このペーパーカンパニーをマークしていた模様だ。

もちろん、個人の所有したウェブサイトを、仮にその個人が実質的に所有している支配株主だったとしても、法人名義にして「譲渡」したというのは、いちおうは法的な解釈としては成り立つだろう。むろん社会常識では別だ。

ところがこの西村曰く「譲渡した」という税逃れのスキームが、自らのクビをしめた。

きっかけは、2ちゃんねるの所有権をめぐって2014年から行われた経営内紛である。もともとサーバーの運営や実質的な管理業務すらも委ねていた、アメリカ人のジム・ワトキンスに、2ちゃんねるから実質的に追放されたのだ。西村はこれを「乗っ取られた」という。

そしてなぜか西村は譲渡したはずの2ちゃんねるをめぐり、ドメインや商標、さらにサイトの管理権限をめぐって個人で裁判をおこしている。これにはそれまでの事情を知っていた人たちは首をかしげざるをえなかった。西村は2ちゃんねるを譲渡したはずなのではないか。それが「乗っ取り」？

数々の2ちゃんねるの投稿が原因となった訴訟や、それで科せられた巨額の賠償金の支払いを逃れるために、西村は、2ちゃんねるからの収入を様々な会社に迂回させてきた。ドメインやサーバーも本人が管理していないことにし、収益もシンガポールのペーパーカンパニーや、自身の会社や関連会社を経由させて、未払いの賠償金の差し押さえを逃れてきた。西村は2ちゃんねるを直接は所有していないし、運営すらにもたずさわっていないと見せかけたわけである。

これを利用したのが、ジム・ワトキンスである。ジムは、2ちゃんねるの有料ビューワーの権利をも取得していた。この収益はジムにとっては莫大なものだったようだ。2ちゃんねるのサーバー費用はジムによって支払われてきたが、それとは別にこのビューワーの売上も得ていたのだ。ところが、2013年8月にこのビューワーの会員システムの個人情報漏洩事件がおきた。2ちゃんねるのビューワーを利用して書きこみをしていた、会員の個人名とクレジットカード情報が漏洩したのである。この時にジムとなんらかのトラブルもあったのだろう。西村は、自身の経営する会社である未来検索ブラジル社に、有料会員システムを一本化しようとした。これにジムは激怒した。この時点で2ちゃんねるのサーバーも、ドメインすらも西村はジムの会社に名義を移管していたのだ。もちろん、それは「2ちゃんねるを譲渡した」「運営にはかかわっていない」というアリバイをつくるためだった。ジムはそこをついたのだ。

ジムはサーバーにアクセスするパスワードを変更した。これで西村はサーバーにアクセスができなくなった。こうしてあっさりと2ちゃんねるはジムのものとなった。2ちゃんねるのドメインもサーバーもジムの名義になっている。西村はどうすることもできなかった。

西村は権利を取り戻すために訴訟をおこした。この裁判の陳述で、西村はまったく臆面もなく「2ちゃんねるを譲渡したことはない」と言い切っている。はじめてこの裁判記録を見たとき、私は絶句した。著書のみならず至るところで西村が発言していた「2ちゃんねるを譲渡した」という今までの発言はなんだったのか。

2ちゃんねるのビジネスを失うことになって、ついに背に腹は代えられなくなったのである。なお、この「2ちゃんねるを譲渡した」「そもそも2ちゃんねるの運営にはもう関わっていない」と書かれた西村の「著書」である『僕が2ちゃんねるを捨てた理由』は同裁判でジム・ワトキンス側からの要請で証拠採用されている。

裁判でジムが主張したのは、もともと西村は2ちゃんねるでは単なる広告塔であって、実質的な管理運営はジム側が行っていたということだ。実際、そう西村は至るところで発言していたのだから、なんともはやである。

2019年に東京高等裁判所でジムの主張は認められ、続いて同年11月に最高裁判所がこの判決を支持して上告を棄却。2016年にドメインの所有権もジムの会社にあることが認められており、これで西村は法的に2ちゃんねるを完全に失った[6]。

私は2000年代当時の2ちゃんねるは熱心ではないが、それなりに利用していたほうである。だが、あまりの誹謗中傷と人種差別の横行に嫌気がさして離脱した。ちょうど日韓ワールドカップが火をつけた韓国バッシングから在日韓国・朝鮮人差別が横行して収拾がつかなくなったころだ[7]。このあたりから自分は2ちゃんねる事情をリアルタイムで追ってはいない。よって、筆者の友人の、いわゆる熱心だった元「2ちゃんねらー」だったひとりに話を聞いた。

懐かしいね、と、目を細めるのは50歳に差し掛かろうとする出版関係の男である。

「2ちゃんねる時代の古参の『ひろゆき』ウォッチャーは、今のユーチューブなどでの人気をみても、ああ、また適当なことを言っていると、今のひろゆき人気を冷ややかにみているだろうね。そもそも、あれだけ人気があったのにもかかわらず、皆が信用できないと背を向けだした決定的な理由は、2ちゃんねるを譲渡したというウソをついていたことが公になってしまったことにあるからね。

あれだけ信奉者が多かったひろゆきからこれで当時のネットユーザーは離れていった。ひろゆきがいうように2ちゃんねるが『乗っ取られた』というならば、昔ならば皆ひろゆきに味方したよね。ところがそうはならなかった。みんな、ひろゆきはもう2ちゃんを譲渡して所有してないんじゃなかったっけ?と疑問符があたまに浮かんで、それから、ああ、あれは嘘だったんだな、とわかった。なので、ひろゆきが対抗して立ち上げた2ch.scにも誰もついていかなかった。」

西村が2ちゃんねるを手放したと宣言したことと、租税回避の脱法的な経営スキームは、あまりにもお粗末だった。その間隙を縫って、10数年来の盟友でもあった、サーバー管理の会社を運営するジムに乗っ取られたのである。リスクとコスト回避という名のもとに、脱法的なスキームで経営権を分散させていたのはいいが、その裏をかかれ、西村は2ちゃんねるという、ほぼ唯一の西村の成功したビジネスを失ったのである。

西村は実業家を名乗っているが、彼が手掛けて成功したビジネスは、ほぼ2ちゃんねるだけである。ニコニコ動画はそれなりに日本国内で成功したが、あの企画そのものはもともと現カドカワグループのドワンゴ社内で進んでいたものであり、実質はアドバイザー程度のもので、2ちゃんねるの西村が手掛けたというブランドをつくるためのものだ。もちろん、ニコニコ動画自体は西村が所有しているはずの未来検索ブラジル社とドワンゴとの合弁企業であるから、実業家として主導してきたともいえる。しかし、ニコニコ動画においても実質は2ちゃんねる乗っ取り裁判でジム・ワトキンスの証言にならえば「広告塔」にすぎなかったのかもしれない。もちろん本人は「1％のひらめきと99％の努力」とはそのことだとウソぶくかもしれないだろうが。

ユーチューブで人気を得た西村は「論破王」と呼ばれることもある。が、2ちゃんねるをめぐる数知れぬ裁判では、ほとんど全敗である。そこからすると、むしろ法的に論破されつづけてきたのである。

そして譲渡したというのがウソであると認めざるをえないくらいに必死だったのにもかかわらず、2ちゃんねるの所有権の主張も、自らの言い散らかしてきた発言が致命傷になり、まったく完璧に法廷で「論破」されてしまったわけだ。

それまでも西村は数々の裁判で敗訴しつづけている。

2001年の日本生命が書きこみの削除を求めた裁判の敗訴から始まり、翌年には毎日裁判所に出頭していたくらいだ。その大半が、違法な書きこみに対する削除が行われないというものである。

2002年の裁判では、早くも違法な書きこみを放置した場合、「真実性などの立証責任は管理者にある」とされ、「被告が定めた削除ガイドラインもあいまい、不明確、違法な発言を防止するための適切な措置を講じているものとも認められない」と断じられている。この裁判では、400万円の賠償を命じられ、そのために銀行口座が差し押さえられた、とのことだ。西村が所得を様々な自分の所有する会社や関連会社に迂回させ始めたのはこのころであろう。

これらの裁判は、ネットの訴訟がまだ少なかったころの事例で、一部ではサイト運営者にとって不当な裁判のようにいわれる。が、判決文を読むといたってまっとうな判決ばかりである。敗訴の理由は、正当な申し立てがあったにもかかわらず、誹謗中傷の投稿を削除しなかったというものである。この敗訴理由は2001年にできたばかりであったプロバイダー責任法にも矛盾しない。それを西村は、あたかも西村が裁判に出廷しないから敗訴したかのように取り繕った。だが実際には出廷していても、その結果は同じだったろう。そして、敗訴した賠償金は踏み倒した。その額は数十億にのぼるといわれている。[8]

西村が北海道は順法意識が低いと語るとき、自分の生い立ちと人生哲学を北海道と重ね合わせているのは間違いないだろう。彼の祖父と父は北海道出身。祖父は札幌から車で2時間程度の海沿いで今でも牧場を経営している。北海道の順法意識が低いなどといわれても、当の北海道民は迷惑なだけだろう。しかし彼がそう思い込む北海道との縁はそれだけではない。

西村博之がかつて経営していた2ちゃんねるは札幌にて管理されていた。これは、すでに彼が経営権を失った現在も変わらない。

札幌の官庁街ともいえるエリアには、古いオフィスビルがいくつか立ち並ぶ。そのうちのひとつのビルで、現5ちゃんねるの運営は行われている。そこから30分ほど郊外に車を走らせた町にも運営拠点がある。2ちゃんねると現在の5ちゃんねるの運営は、この札幌近郊でほとんど行われていたのである。私はそのうちのひとつの事務所があるオフィスビルを訪ねた。郵便受けとドアにはいくつもの社名が書いてある。ちょうどそのビルから2ブロック先には法務局があるので、郵便受けに記載されていた会社名をメモしてから法務局に行き、ポストに記載されていた会社の登記を調べた。登記簿に記載されていたのは2ちゃんねるの札幌人脈といえる面々の名前だ。

その中には、最近になってアメリカ連邦議会選挙に立候補するといい、活発なネットでの情報発信を行っている、ジム・ワトキンスの息子のロン・ワトキンスの名前もある。今ではQアノンの正体ではないかとまで噂される人物である。彼も最近まで札幌在住だった。

2ちゃんねるのサーバー業務を請け負っていたジム・ワトキンスは、2ちゃんねるの最初期は広告とバーターでサーバーの提供をしてきたが、徐々にそのアクセス数があがるにつれ、トラフィックの爆発的な増大が負担になりだした。その頃、「2ちゃんねる危機」というサイトが閉鎖になるのではないかという騒ぎがあった。これが2001年のことである。

2ちゃんねるのサーバーからの転送量が過大でサーバーのコストが負担となり、これ以上維持できなくなった、といわれていた。西村本人も閉鎖をほのめかした発言をしたため、2ちゃんねるユーザーの匿名の有志が、転送データ量の削減のためのスクリプトの改良をネットを通じてボランティアで行った。その結果、2ちゃんねる閉鎖の危機は去った。そんな美談めいた当時の話は、現在でもネットにレガシーコンテンツとして残っている。

だが、どうやらこれは今ふりかえってみると、そんな話ではないということが、たやすく推察できる。実のところはジム・ワトキンスが、これまでのような広告バーターではサーバーが維持できないと、費用請求をしてきたという単純な話だ。そしてサーバー代を払わなければ、サイトを閉鎖するとジム側が強硬措置に出たわけだ。ここからサーバー代を捻出するのを目的として2ちゃんねるは、西村博之のホビーのサイトから、ビジネス化に舵をきる。2ちゃんねる乗っ取り裁判の判決記録を読むと、この2ちゃんねる危機と呼ばれた2001年以降に、ジム・ワトキンスに対する送金がはじまり、その額は最終的には、年間1億円近くにのぼった。

この2ちゃんねるのビジネス化の周辺で、様々な会社が2ちゃんねるに関係することになった。広告代理店や運営会社、様々なサブビジネスだけではない。ジム・ワトキンスによると2ちゃんねるの書きこみを有料で削除代行したり、ユーザーデータの販売も行っていたとのこと。これらの会社が札幌に集中している。

ジムの息子のロン・ワトキンスは、2ちゃんねるの経営権がジムに移ってから、フィリピンに在住する父のかわりに、札幌でこれらの会社を統括していたようだ。これについて、ジムとロンの親子と一緒に仕事をしてきたフレデリック・ブレンナンは、筆者のインタビューに答えて「日本人がカネを抜いていないか監視するために札幌に送り込まれた」と証言している。

Qアノンの謎をめぐるドキュメンタリー番組「Q into the storm（邦題「Qアノンの正体」）」は、Qアノンの正体が実はこのロンとジムのワトキンス親子ではないかと疑惑の目をむけている。この番組では、札幌がキーとなる場所として登場する。

そのジムは政治には関心がないとうそぶきながら、Qアノン運動のための政治基金を設立している。

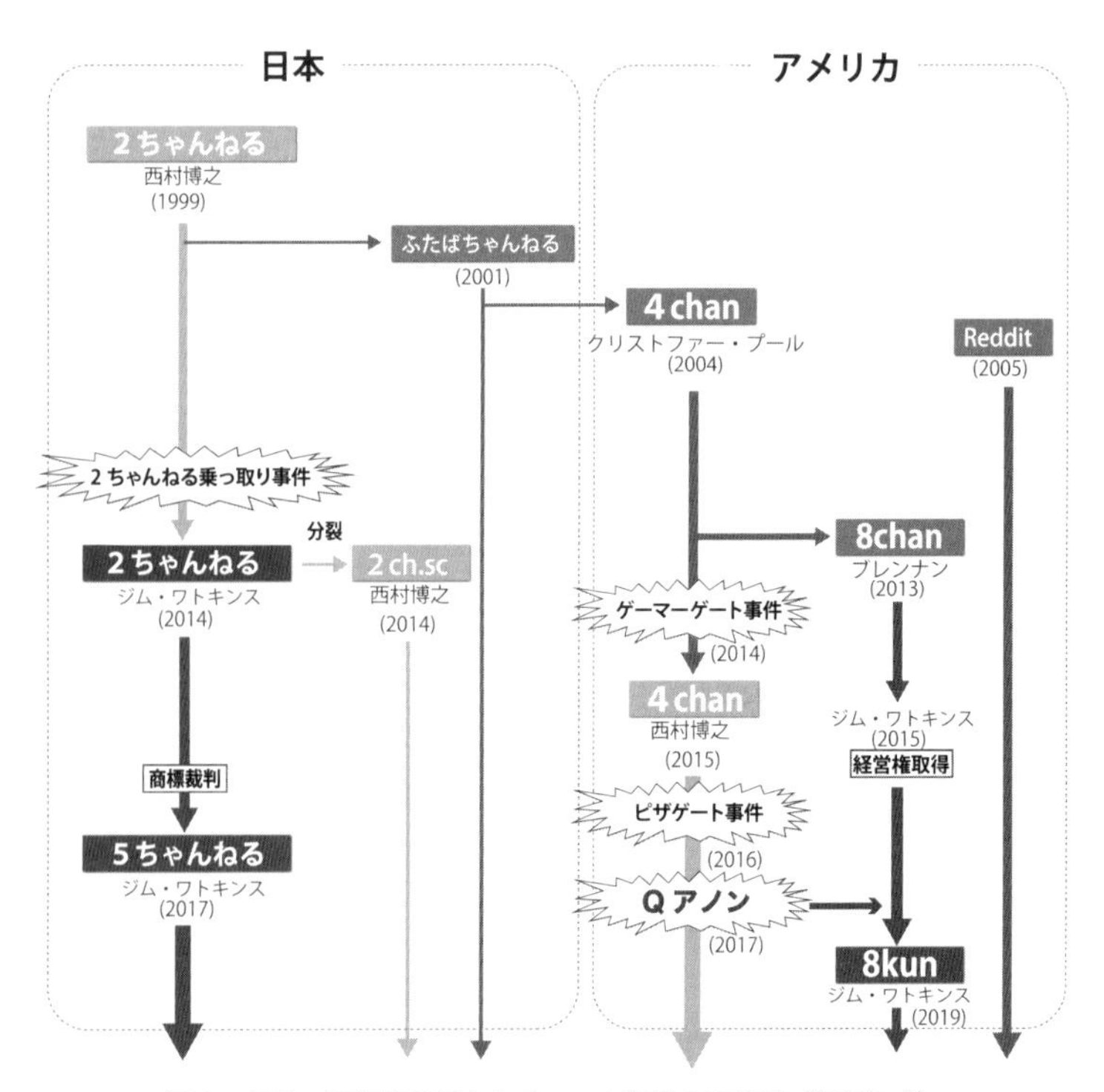


**図1**　日米の匿名掲示板カルチャーの伝播の系統図（筆者作成）

ロンにいたっては２０２０年のアメリカ大統領選挙をめぐる不正投票疑惑、いわゆるドミニオン陰謀論のもっとも精力的な情報発信者になって、Ｑアノン信者から一躍注目されるようになった。この「ドミニオン疑惑」のネットからの発信も札幌から行われている。

アメリカで連邦議事堂襲撃事件というアメリカ史に残るのが間違いない事件の中核となったＱアノンという陰謀論が、いかに2ちゃんねるという匿名掲示板と関係があるか。その中心には、西村博之とジム・ワトキンスの確執があり、それはアメリカでスケールをさらに大きくして繰り返された。そして、そこから生まれたのがＱアノンである。

2ちゃんねるが、匿名掲示板というカルチャーを生み出し、そこから生まれた画像掲示板「ふたばちゃんねる」がアメリカに伝播し、4chanという一大ムーブメントを生み出したアメリカの匿名掲示板カルチャーを生み出した。だが、4chanは日本の2ちゃんねると同じく問題が多発した。日本のように広告クライアントも甘くはなかったので、広告収益もあがらない。日本オタクだったオーナーは、これを手放し、グーグルに転職した。

２０１３年西村は、自分が生みの親だったはずのニコニコ動画の運営元の役員を辞任していた。違法な薬物販売の書き込みを放置していたとして、麻薬特例法違反で西村の自宅や、西村が経営する未来検索ブラジル社や、札幌の2ちゃんねる運営会社に次々家宅捜査がはいったからだ。そして翌２０１４年には、ジムによる2ちゃんねる乗っ取りにより、2ちゃんねるから追放されてしまう。

西村は2ちゃんねるの事実上のミラーサイトである2ch.scを立ち上げてジムに対抗したが、ユーザーはジムが経営する2ちゃんねる（現5ちゃんねる）を使いつづけた。これまでのツケを払わされるような苦境に西村は落ちることになったわけだ。

しかしその2ちゃんねる追放の翌年の２０１５年、旧知の4chanオーナーから西村は4chanを買収する。それに張り合うかのように、今度はジムが4chanからスピンアウトした派生サイトである8chanを買収する。


日本で莫大な収益を得た、2ちゃんねるの経営陣である西村とジムは、お家騒動といえる経営紛争を繰り広げ、やがてその二つの勢力が、2ちゃんねるの子供たちともいえる匿名掲示板を買収して自分のものとした。アメリカ最大の匿名画像掲示板4chanと8chanである。8chanは西村が4chanを買収してから、それに対抗するかのようにジムが買収した同じアメリカのアングラ匿名掲示板である。こうして匿名掲示板の両サイトが、日本の2ちゃんねる関係者によって運営されていたわけだ。そして、Qアノンはその両サイトから生まれた。いわば匿名掲示板の近親交配と近親憎悪のなかから、日本から生まれた匿名掲示板カルチャーの落し子としてQアノン陰謀論が生まれたのだ。

二人は、日本の2ちゃんねるのやり方そのままで掲示板を運営した。それまでいちおうの管理はされていた4chanは、さらに問題サイトとして、数々の悪名を流すことになる。

その帰結のひとつが、連邦議事堂襲撃事件であり、その続編のように、ジムの息子のロンがQアノン信者を支持母体にして立候補する連邦議員選挙の話が現在形で続く。西村から経営権がジムのもとに移ったあと、2ちゃんねる（現5ちゃんねる）の管理人は、ロンだった。こうして、2ちゃんねるの元管理人が、アメリカの下院議員になるかもしれないというサイバーパンクや近未来ディストピアSFまがいのシナリオを見せつけられているのがいまの私たちなのである。

こうして札幌からアメリカへ、そして連邦議事堂へと雪崩れ込んだ何か禍々しいものの影を、私たちは追うことになる。

## 「資本主義の速度と軽やかに戯れる新人類」

「あの男がテレビに出るたびに、本当にはらわたが煮えくり返る思いをしてますよ。」

こう語る声は荒々しい。とある法人の経営者である。この法人はかつて西村博之相手に訴訟を行っている。名誉を傷つけられたとのことだ。彼が運営する2ちゃんねるに、法人の虚偽の事実が書き込まれて、これをサイトの管理人である西村が放置したことが原因だ。判決の損害賠償額は数百万円にのぼる。だが、その賠償金は、結局時効となる判決の10年後になっても支払われることはなかった。

もうひとりもこう語る。こちらは女性だ。

「西村がテレビに出てくると、すぐにチャンネルを変えています。でも怒りは収まらない。あんなろくでもない男がワイドショーで偉そうなこといえるのかと、呆れかえりますよ。テレビもテレビですよ。なんであんな男を出すんですかね。」

女性は、やはり西村の2ちゃんねるで誹謗中傷や虚偽の事実の投稿によって名誉を傷つけられたとして訴訟をおこした。内容は容姿や交際関係、仕事に関する真偽不明な噂話等々。残っているログを読んでもひどい内容だ。この件も同様に高額の賠償金が西村に命じられたが、いまだに支払われてはいない。

「（損害賠償金は回収）できませんでした。大変憤りを感じています。」と、筆者からのメールでの問い合わせに対して有道出人氏は答える。

有道氏は、アメリカ出身の人権活動家である。２００1年に、小樽市の浴場が外国人の入湯を禁止していることが人種差別にあたるとして運営元と小樽市を提訴した。このことが、2ちゃんねるで話題になり、様々な嫌がらせや誹謗中傷が書き込まれた。アメリカ出身であるということを俎上にあげた差別書き込みも多数あった。これに対して、有道氏はこの書き込みを削除するように2ちゃんねるに要請したが、西村はこれに応えることはなかった。そのため西村もあわせて提訴。これも西村は敗訴する。

「（裁判で）正式に名誉毀損があったと判決されました。よって、もちろん損害賠償を支払うことは法的な義務があります。西村氏はきちんと責任を取らないと法律違反者のままです。法制度も当局も、彼をなんとかしないといけない。我が国が本当に法治国家であるのかと心配します。」

西村がこうして支払うことがなかった損害賠償金額は数十億円にのぼるといわれている。

その多くは、後に削除義務を怠ったことから科せられたものだ。西村は2ちゃんねるにおいて、独自の削除依頼の方法を恣意的に運用しており、その彼が設定したルールから外れれば削除は受け付けず、仮にそれがルール通りのものだったとしても、それが自分では犯罪にあたるかはわからないとして放置した。さらには、仮にその疑いが濃厚なのは誰の目にも明らかなものでも時には放置した。

西村の敗訴の判決は、今見れば至極当然のようだが、当時の2ちゃんねるのユーザーはそうは思わなかった。あたかも、西村が言論の自由のため、私たちのかわりに国と訴えてきたヒステリックな連中を相手に戦ってくれているというような理解をした。西村は2ちゃんねるに蝟集するこのようなユーザーのヒーローとなった。

こうして2ちゃんねるは、誹謗中傷が当たり前の、差別や犯罪の投稿の吹き溜まりとなっていった。そして、それが新しいカルチャーであるかのように持ち上げられた。名のある文化人や有名人も、そんな西村を擁護して、2ちゃんねるのアンモラルさを追認し称揚した。

日本人には本音を書き込む場所が必要だ。もともと日本は古来匿名文化だったではないか。そんなトンチンカンな2ちゃんねる論まで書籍になって評判を呼ぶ。なるほど権力者や体制を揶揄したり批判したり、また自分の地位を隠すために、日本の古典文学は匿名が多かった事実はあるが、別にそれは日本だけではないし、西洋であってもグーテンベルクの活版印刷が発明される前後までは出版物は匿名であることが当たり前だった。

2ちゃんねるがメディアの最先端だという紹介のされ方をいくつ見ただろう。しかし、そのアンモラルが未来の姿だとしたらどうなるか本当に考えているか疑いたくなるぐらい、そのころは奇妙なまでの賞賛がされた。2ちゃんねるを「集合知」だという者すらいた。匿名であり、数多くの投稿には、誰もが解決しえなかった知があるということだ。その知の正しさは匿名という平等性と、多数の投稿という多様性が担保するというのだ。ウェブ2・0などともてはやされていたのもそのころだ。

しかし、私たちはもはやネットの集合知が正しいなどということを何の留保もつけずいえるようなネットの初心者ではなかろう。Qアノンのみならず、陰謀論や人種差別、デマやフェイクニュース、非科学的な医療、個人にむけての集団バッシング、もはや長々と例をあげていくまでもないだろう。むしろネットの集合知は誤る。そうしてみると、2000年代というインターネットの一般的な普及からわずか10年程度の認識などというものは幼かったというしかない。

西村はさらに途中から、殺到する2ちゃんねるの裁判に出廷することすらなくなりはじめた。そして損害賠償金を踏み倒すことを宣言し、ほんの一部だけバレていた銀行口座や収入などをのぞき、実際そのとおり支払いから逃げた。

例えば、損害賠償400万円欲しいって人だったら、僕が400万円払わなければならないっていう判決とか命令が出るんです。

で、それも放置したらどうなるかっていうのをやってみたら、別に何も起きないんですよね。結局、判決が400万円だとすると、僕から400万円を取る権利が確定するんですけど、権利が確定しただけで、その取り立ては国はやってくれないんですね。じゃあ僕が仮に400万円持っているとします。どうやってお金をとるか？　会社員だったら会社に対して給料差し押さえとかできるんですよ。じゃあ会社員じゃなかったらどうやってお金とるんですか？ってどんな弁護士に言っても答えがないんですよね。こういうことがあって、あ、デメリットないじゃんと（笑）。（西村博之）[9]

そんな西村を冷静に見る人もいた。評論家の竹熊健太郎は大泉実成との対談で、西村の印象を次のように語っている。[10]

90年代末に出てきたIT系のベンチャー起業家、うち何人かには会ったんだけど、本当の新人類だなと思ったね。僕らの世代が80年代に新人類と言われてた、でもマスコミが紹介したような「資本主義の速度と軽やかに戯れる新人類」なんて、結局いなくて、オタクだけが残った。そうしたら、そのマスコミが定義したような人種が、2000年代になって、いきなりそこに居るんだよ。たとえば2ちゃんねるの……

——ひろゆき。

一般論としてIT起業家を見たときに、80年代のオタクとも違う。ある種のオタク的な傾向を持ちながら、保守的な方向じゃなくてむしろアナーキーな方向に行く。

しかもアナーキズムなんだけどいたずらな理想主義に走らないで、すごく醒めた現実的な判断を一方ではする。電脳アナーキストというか、そういう世代が、層としては生まれていると思う。

ひろゆき氏が30歳で、ホリエモンは34とか35。この世代っていうのは社会のルールは守るんだけど、それにとらわれない。ルールに書いてあれば守る。でも書いてないことはやっていいんでしょというのが、あの世代の思考の核にあると思う。

竹熊はこの対談で、次のように証言もしている。

彼の収入や資産についてはさまざまな憶測が流されているけど、はっきりしたことは誰もわからない。昔会ったときは、年収３００万以下に抑えてるといってたけどね。当時から差し押さえの可能性を予想してたのかな。たぶん金は全部自分の会社に入れてる。で、その会社は、２ちゃんねるの運営には一切タッチしてない。

この会社とは、「2ちゃんねる危機」によってビジネス化を開始した頃に設立され、脱税やシンガポールでのペーパーカンパニー疑惑などで取り沙汰され、警察にも2ちゃんねるビジネスのブラックボックスと目された、西村の会社「東京プラス社」のことである。

昔の人の言った言葉で、木の葉を隠すには森に隠せっていうのがあって、僕が持ってる銀行口座の数は自分でも数え切れないんですよ。例えば差し押さえをするときは、銀行名と支店名を指定しなければいけないんです。で、それを一件一件やるから、差し押さえするためにもお金がかかるわけです。というわけで僕の銀行口座を全部探すにはものすごいお金がかかるんですよ。その宝探しをやる人がまだいないっていうのが現状です。[11]

2ちゃんねるは1999年に、当時中央大学の学生で、アメリカに留学中だった西村博之によって開設された。

これより以前、まだ個人でウェブサイトをもつことが珍しかった頃、西村は「ホームページ」を開設した。誰でも知識さえあればサイトを無料で開設できるジオシティーズ(2019年サービス終了)と呼ばれたサービスを利用した。そこで彼はちょっとした心理学テストのサイトをつくった。西村の大学の専攻は心理学だった。しかし、やがてコンテンツが増やされ「交通違反のもみ消し方」というコーナーがつくられた。

当時、西村は中央大学で犯罪科学研究会というサークルに所属していた。このサークルでは新人として経理担当をしていたらしい。当時のサークルの同僚だった人物に聞くと、その経理の仕事はずさんであったらしく、それをとがめられると、そのまま姿をあらわさなくなったとのことだ。短い期間のサークル在籍時の会報で、どのようにして交通違反の罰金6000円を逃れたかを西村がレポートしている。そこで書かれていたノウハウは、とにかくゴネろという内容で、信号や左折禁止の違反ぐらいならば、否認しつづければ見逃してくれるというようなものだった。西村が自分のホームページに掲載したのは、それだった。

違法行為のノウハウを掲載するアングラサイトは、まだインターネットの個人利用がそんなに進んでいなかった時代でやかましくいわれることはなかった。サイバースペースはダークな情報があるというのも、ひとつの魅力だっただろう。西村のサイトは、やはりアングラ・サブカル誌の『GON！』などで紹介された。

「駐車違反のは大抵しらばっくれてればもみけし可能なようです」とサイトの管理人からの挨拶文が掲載されたサイトには、加えて彼が現在留学中なことと、サイトの一コーナーであった掲示板が近々移行することが書かれている。

当時アンダーグラウンドの匿名掲示板に「あめぞう」というサイトがあった。この掲示板は匿名なゆえに、違法な書き込みや誹謗中傷などが蔓延し、逆にそれが理由でアクセスが増えていった。しかし、今度はその大きくなったトラフィックが、個人が運営する規模を超えてしまった。やがて、掲示板は匿名の投稿者に荒らされるようになり、管理人は運営を放棄しだした。

その時に現れたのが西村だ。あめぞうの掲示板を模倣し、新しく掲示板をつくった。サイトは本人曰く、あめぞうのユーザーが使うサブの場所という意味で「2ちゃんねる」とした。

そんなタイミングで「東芝クレーマー事件」と呼ばれる、日本におけるネット創成期の「炎上」事件がおきる。東芝のビデオデッキの修理をめぐって、その対応の音声をネットにアップして、東芝が批判を浴びた事件である。ちなみに、この件は早い段階から、東芝の対応もさることながら、その音声をアップしたユーザーもおかしいのではないかと指摘があった。それは約10年後、このユーザーが某病院の個人情報管理にクレームをつけたことを自ら証明しようと同病院のノートパソコンを盗み出すという事件をおこしたことからも、おおよそその指摘は正しいものだったかもしれない。しかし、その当時の反応はまったく違った。むしろこのネットに音声ファイルをアップしたユーザーは支持を受けた。この事件が初期の2ちゃんねるが世間に知れ渡る機会となった。

やがて西鉄バスジャック事件と呼ばれる、世間を震撼させる孤独なテロ事件がおきると、その犯行声明が2ちゃんに書き込まれたとされたことで、さらに話題となった。

交通違反のもみ消し方というアングラサイトから始まった西村のサイトビジネスは、最初から犯罪と切っても切れない関係にあった。それがこの西村のサイト運営のコアコンピテンスだったわけである。

こうしてエキセントリックな書き込みとともに、2ちゃんねるは、当時のインターネットの掲示板として日本最大のものとなったばかりか、日本の総トラフィックの数パーセントをしめるまでの存在となった。

そうして長髪でサンダル履きで、お世辞にもオシャレとはいえないチェックのシャツやTシャツ姿の西村は、ひょうひょうとした口調で「年収は日本の人口くらい」と豪語して笑う。極めつけの変人といっていいだろう。こうした西村の姿をみるにつけ、私はこちらも変わり者で知られたアップルのスティーブ・ジョブズを思い出す。西村もきっと影響を受けていることは間違いないだろう。そして変わり者具合では、ジョブズもやっかいな人物だった。

## 海賊のユートピア、匿名掲示板

ジョブズが創業したアップル社の名前が、彼がハマっていた果実食主義から来ているのは有名だ。

その果実食主義は、そもそも彼がヒッピーのコミューンにおける有機栽培のリンゴ農園で働いていたことから始まる。ジョブズは月20ドルのアパートに、ほとんど何ももたないまま住み、禅とLSDで瞑想しながら日曜日には、ハレクリシュナ寺院のアルバイトをしていた。仕事はリンゴを剪定すること、収穫の季節になると、とれたてのリンゴを搾ってアップルサイダーをつくった。

そのジョブズが、やがておしかけるようにしてアルバイトをはじめたゲーム会社のアタリは、彼のようなカリフォルニアのヒッピーの影響を受けた若者のたまり場のような状態だった。職場でマリファナの匂いがするのは当たり前。当時のアタリではみな、ビールを呑みながらデスクにむかっていたような環境だった[12]。

ところが、そんな変わり者の巣窟だったアタリのなかでもこの生意気な若者は問題児だった。理由は風呂に入らないから。インド思想の影響か何かはわからないが、当時のヒッピーは風呂に入らなかった。1960年代にロサンゼルスでヒッピーが問題化したときに、最初にヒッピーの摘発に乗り出したのは公衆衛生局だったくらいだ。そのヒッピーのひとりであったジョブズは文字通り、鼻つまみものだったのだ。そんな匂いをまきちらかしながら、長髪とサンダル履きでアタリの社内をのし歩いた。

サンダル履きのジョブズがアタリに入社したのは1974年。しかしそのころは、すでにヒッピーカルチャーも下火になりはじめた頃だ。いや、正確に言うとスタイルが変わっていったというところだ。ジョブズは遅れてきたヒッピーだった。

ヒッピーはもともと政治的だったわけでもない。たまたま1968年の世界的な若者の反乱のなかで、アメリカの新左翼の潮流と合流しただけで、その政治の季節が終わるとヒッピーは自分たちの自由を独自に追求しはじめた。60年代の熱狂が過ぎ去り、その反抗のすえに社会的に挫折した新左翼は、変革を外部の社会に求めるのではなく、自分自身の精神を探求することに求め、内面の変化により社会を変えることができると考えた。ヒッピーと歩調をあわせて内向化したともいえるが、そうは単純には終わらなかった。

彼らの精神の自由な探求は、一方ではビジネス化した。ヒッピーのスローガンである「愛と平和」だけが残り、反資本主義の思想はなかったかのように忘れ去られた。

1980年代後半、アップルのマッキントッシュの最大の販売代理店は、ヒッピーのフリーセックスをモットーとするコミューンが母体だった。自己啓発、ヨガ、マッサージ、心理学、エコロジー、スピリチュアリティ。自分自身の変革を探求するトレンドが次から次へとあらわれ、やがて商品化されていった。「自己実現」こそが人間の欲望の頂点にあるというトランス・パーソナル心理学は、ヒッピームーブメントから現れたが、この心理学はむしろ企業でもてはやされた。

パーソナル・コンピューターも、そんな内面を拡張して世界を変革する存在として称揚された。今の時代に当たり前のようにパソコンが身の回りにあり、それればかりかスマートフォンが一人一台老若男女問わずに使いこなされている時代にはわかりにくいかもしれない。だが当時はコンピューターは巨大資本や国家が独占しているものとされ、IBMのような巨大独占資本にのみ許されたコンピューターは、国家や資本主義のために使われるだけなのではないかと批判されていたのだ。そのために、むしろ個人の自由を拡張するような個人一人ひとりが使えるコンピューターが必要ということだ。本当に隔世の感を禁じ得ないが、それがジョブズの青春時代の1970年代だった。

1960年代にヒッピーたちのサイケデリックの導師として、LSDなどの薬物による悟りと、それによる社会変革を説いたティモシー・リアリーは、1980年代になると、今度はパーソナル・コンピューターによる意識拡張を説くようになった。パソコンによって精神拡張と社会変革が可能になるというリアリーの主張は今になってみると滑稽だが、当時は大まじめに様々な人々が論じていたことだ。

「60年代、70年代、私はコンピューターを恐れていた。IBMやソニーがビッグブラザーで、CIAのような巨大な情報局として機能すると。しかし76年に2人のヒッピーあがりがアップル・コンピューターを開発した。彼らは裸足のヒッピーだったから、アップルはビッグブラザーに対抗して私にも使えるものを作ったんだ」とティモシー・リアリーは語った。[13]

彼のなかでは、ドラッグの代替物がパソコンだったということだ。そして時代は、確かにパーソナル・コンピューターへとシフトした。

そんな個人の自由と社会の変革のイメージは、もっぱらマーケティングとして使われることになった。

1984年、アップルのマッキントッシュのCMは、ジョージ・オーウェルの近未来ディストピアSF小説『1984』のオマージュだった。超管理社会で奴隷のような存在となった人間を解放するのは、アップルのパーソナル・コンピューターだというものだ。

インターネットはそうした自己拡張と社会的な反乱の根拠となりうるというイメージが共有され

た。例えば、世界がくまなく国家にうめつくされた現在、最後に残されたのはインターネットの空間だけなのではないのかという主張が現れる。

国家や巨大資本や法や倫理といった人間を拘束するシステムから離れた自由な空間ならば、自律する人間がそれぞれの小宇宙をつくることができる。そこで私たちは「部族」のように暮らしていけばよい。そこはアナーキーな反抗の拠点となり、そのものたちが連帯(ネットワーキング)していくことにより、現実と並行しながら、それに対抗していく「海賊のユートピア」が可能になる。アナーキストのハキム・ベイは、そうした体制への対抗の原理を「TAZ」(一時的自律ゾーン)と呼んだ[14]。

「サイバースペース」という言葉がSFの世界に登場したのも80年代だ。ヒッピーあがりのSF作家の世界観は「サイバーパンク」とも言われた。人間の内面を探求するともうひとつの世界があるというヒッピーたちの世界観は、80年代にSFのなかで隆盛を極めた。記憶、精神科医、赤い薬のカプセル、人工精神、そんな物語のフックから始まる内面世界の謎と悲劇のテーマが、さまざまなSFで変奏された。

ニューエイジと呼ばれたヒッピー発の精神世界探求と自己変革運動とそのテーマはさまざまに変奏され、サイバースペースの物語と途中までは似ていた。しかしサイバースペースの物語ではヒッピーたちが究極の価値をおく、愛や平和は、さして重要ではなかった。巨大な世界を統治するシステムとの孤独な闘争のみが語られるのがもっぱらであった。むしろ徹底的に個人主義的であり、孤独であることが世界のシステムに立ち向かう手段であるかのように戦いはつづけられた。そこでは救済は闘争のなかにしかない、というメッセージすら受け取ることもできるだろう。

一方でヒッピーの末裔たちは、内面の自由の向こうに自己と社会の変革があるという考えを優先させながら、資本主義からの逃走という重要な主張を忘れ始めた。ヒッピーと新左翼のハイブリッドとして、１９６８年のアメリカの反対運動の象徴となった若者の政治団体「イッピー」の指導者だったジェリー・ルービンは、型破りでユニークな反体制運動家だった。しかしジェリー・ルービンは、多くの同時代の反体制運動家と同じく１９７０年代に時代に敗れ去り、そしてそのツケを払わされるかのように没落した。

ジェリー・ルービンは典型的なアメリカのフラワーチルドレンの「転向」の道を歩むことになる。健康食品、催眠療法、瞑想、マッサージ、ジョギング、太極拳、鍼療法、ヨガ、自己開発セミナー、セックス療法と、かたっぱしから自己探求を追求した結果、１９８０年代には健康食品のマルチ商法を立ち上げ、さらにはニューヨークでビジネスネットワーキングというサロンの主宰者となった。ここに集まったのは、マンハッタンの若手のエリート金融ビジネスマンたちだった。彼らは「ヤッピー」（Young Urban Professionals の別称）とよばれた。

ヤッピーは、ヒッピー的な価値観とサイバースペースの幻想がカネになることを鋭く理解していた。ティモシー・リアリーがいうようなパーソナル・コンピューターはヒッピーたちがつくったというイメージは、マーケティングに利用された。愛、平和、自由、そして巨大なシステムに反抗する個人というヒッピーと、弱肉強食の経済自由主義者であるヤッピーが異種混合した。その矛盾した思想が昇華したものを、人は「カリフォルニアン・イデオロギー」と呼んだ。

カリフォルニアン・イデオローグたちはハイテク自由主義という反国家主義のゴスペルを説く。たっぷりのテクノロジー決定論で強化された、ヒッピー・アナキズムと経済的リベラリズムの奇怪な寄せ集めだ。〔…〕
その深刻な矛盾に気づかず、世界中の人々はカリフォルニアン・イデオロギーは未来へ向かう唯一の道と信じている。
（リチャード・バーブルック&アンディ・キャメロン「カリフォルニアン・イデオロギー」篠儀直子訳、『10+1』13号、INAX出版、1998年）

ジョブズのアップル社は、とてつもない独占資本となったにもかかわらず、反体制と愛と平和のメッセージをふりまいた。まさしく「反体制はカネになる」（ジョセフ・ヒース&アンドルー・ポター『反逆の神話』栗原百代訳、NTT出版、2014年）である。

パーソナル・コンピューターをヒッピーがつくったというのは修辞的な誇張にすぎない。そもそも「パーソナル・コンピューター」という言葉を使いだしたのは空軍の士官候補生あがりで当時世界有数のIT企業だったゼロックスにいたこともあるアラン・ケイだった。

最初に市販された「マイクロコンピューター」であるアルテア8080の開発元は、電卓キットを販売していたMITS社だった。そのアルテア8080のマイクロプロセッサーは、すでに70年代には巨大企業となっていたインテル社のIntel8008であり、それなしに最初のマイクロコンピューターはありえなかっただろう。

本物のヒッピーだったジョブズが、アルテア8080の成功を見て市販に踏み切ったアップル社最初のマイクロコンピューターのプロセッサーも、電卓会社がつくったものだった。この開発を事実上ひとりで成し遂げたスティーブ・ウォズニアックも、その当時ゼロックスの技術者で、会社に黙ってつくりあげたものだったので、それを売るつもりはなかった。

1977年、アップルの二番目のマイクロコンピューター「AppleII」は大ヒットしたが、すぐにIBMはカネになるとわかると市場にうってでた。マイクロコンピューターが、PC（パーソナル・コンピューター）と呼ばれ始めたのは、このIBMの市販機の登場のあたりからだ。

IBMは同社PCのソースコードをオープンにしたが、知識と情報は共有されるべきという思想のヒッピーとハッカーがつくったはずのアップル社は、決してそれを公開しなかった。これがアップル社のパーソナル・コンピューターのマーケティング戦略として大失敗だったのは皮肉なことだ。

そうしてIBMはアップルをあっというまにPC市場で凌駕していくが、その成功の立役者となったOSの開発を手掛けたビル・ゲイツはハーバード大学出身であり、コンピューターマニアではあったがヒッピーとはいえないだろう。ジョブズとゲイツの二人は、PCマーケットをめぐって世界を巻き込んだ熾烈なライバル争いを繰り広げ、そのきっかけの最初はマッキントッシュのGUIインターフェイスだったが、これもアップルの独創ではない。やはりヒッピーとは関係がないアラン・ケイだった。

それればかりではない。サイバースペースの母体となるインターネットは軍事技術から始まったことは言うまでもなかろう。ヒッピーがいようといまいと、パーソナル・コンピューターは、資本主義の論理によって開発されたのは間違いがないといえる。ヒッピーがパーソナル・コンピューターを生み出したというのは、マーケティングのための広告として重宝された伝説にすぎない。

そうした錯覚のもとで、弱肉強食の資本主義の生存競争が、愛と平和と自由の仮面の意匠をこらして闊歩するようになった。

1984年、アップルは新型のマッキントッシュの発売の広告を、Newsweek の広告欄をすべて買い取って掲載した。

「一人に一台のコンピューターを……民主主義の原理をテクノロジーの世界にも」

そこに書かれたコピーには、かつてハッカーたちが夢見たデジタルの世界の人民民主主義の理念と、アップル社の資本増殖のためのイメージ戦略が混然一体としていた。

ハッカーたちが考えていたデジタル人民民主主義では、地位や出自や財産は決して問われなかった。無名ですらよかった。ただ、能力だけが問われた。それは平等な能力主義でもあったが、裏返せば、救済などない弱肉強食の世界だった。ようするに資本主義のコンセプトとさして違いがなく、むしろ親近性があるものだった。

ダーウィン的競争は、多くの人々が想定したような博愛主義的なインターネットを生み出さない。インターネットが「エコシステム」だとかいう呑気な物言いとは裏腹に、デジタルニッチは自然界と同じくらい残酷で脆弱なものなのだ。

（マシュー・ハインドマン『デジタルエコノミーの罠』山形浩生訳、ＮＴＴ出版、２０２０年）

ヒッピーたちは、自由とともに社会的に平等であるべきだという相互扶助の世界を夢見た。ハッカーたちも情報と技術が誰にでもフリーにアクセスできることを主張した。そこまでは自由であり平等であった。しかしそのあとにできる世界について、彼らはほとんど想定していなかったし、その弊害にも無頓着だった。

かつてカリブ海を荒らしまわって自由を謳歌していた海賊が、いつのまにか国家と癒着し、自分たちがかつて対峙してきた巨大なシステムになっていた。その代表が大英帝国である。海賊と癒着し、私掠船による大西洋貿易に寄生しているうちに、イギリスでは海賊のシステムが国家に組み込まれた。これが大英帝国の隆盛の起源である。同じようにアップルも巨大な帝国になった。アップルのロゴのレインボーカラーは、そうしていつのまにかデザインから消えていた。

アップルのロゴが単色になった頃、インターネットには、海賊たちの島々が至るところにできていた。島々はサイバースペースという小宇宙のようにイメージされた。サイバースペースは、個人の自由を守るための砦とされた。

そこではヒッピーの時代に先行したビートジェネレーションの作家ウィリアム・バロウズが、麻薬の幻影のなかでみた「真実などない。すべてが許されている」（『麻薬書簡』山形浩生訳、河出書房新社、２００７年）がモットーとされたかのようだった。すべての価値も倫理も法も規範も、その島々のなかでは正しく、そしてその外では正しくない。法や倫理や善悪はすべて物語にすぎない。

それは絶対的なものでもあり、また相対的なものでもある。そうした認識は極めてポストモダンな未来だった。

そうした世界観のなかでは、正しいものなどなく、歴史すらも主観的な物語にすぎない。その正しさを強制する法や国家すらも桎梏にすぎず、個人の自己実現のためには敵対する存在だった。そうしてつくられた小宇宙の海賊にとって、国家や法は、どのようにしてそのコードのバグをみつけるかという、ハッキングの対象にすぎなかった。

産業社会の諸政府よ、肉体と鋼鉄の疲れたる巨人たちよ、わたしは精神の新たな住処、サイバースペースから来た。

未来のために、過去を担うあなた方にいう。われわれをほっておけ。あなた方は歓迎されざる者だ。われわれが集うところには、あなた方の主権はない。われわれは選挙された政府を持たぬ。今後も持ちそうにない。よってわたしは、自由それ自身が語るときに常にもつ権威と同じ権威のみをもって、あなた方に語りかけ、そして宣言する。

われわれが建設しつつあるグローバルな社会空間は、あなた方がわれわれに課そうとしている圧政からは、当然に自由だ。あなた方には、われわれを支配する何の道義的な権利もなければ、われわれが真に恐れねばならぬほどのいかなる強制力もない。

(ジョン・P・バーロウ「サイバースペース独立宣言」(公文俊平訳)、『ネティズンの時代』、公文俊平編、NTT出版、1996年)

この「サイバースペース独立宣言」（1996年）は、もちろんアメリカ独立宣言を意識しているもので、冒頭にはトーマス・ジェファーソンの言葉「誤謬のみが政府の支持を要する。真理は自立しうる」が引用されている。

このように高らかにバーロウは、真理の自律性について宣言するが、そもそもサイバースペースというものは、そうした「真理」に耐えられないものたちが逃げ込む場所として想定されたものなのではないか。

ジェファーソンが言ったのは、真理のみが自立しうるという意味でもある。海賊が島々にそれぞれの小宇宙をつくったのは、遠い辺境の地でしか自立することができないからだったのではないか。だからこそ一般社会では許されない言論や思想や数々の倫理的とはいえないふるまいが、インターネットだけでは許されていいという「インターネット例外主義」（ジェフ・コセフ『ネット企業はなぜ免責されるのか』小田嶋由美子訳、みすず書房、2021年）に落ち着くのではないだろうか。

バーロウは「われわれが創造しつつある世界では、誰もが、どこでも自分の信じることが表現できる。それがいかに奇妙な考えであろうとも、沈黙や体制への順応を強制されるおそれがない」と宣言したとき、他の人に強制し、嫌がらせをし、沈黙を強いるためにこの表現の自由を利用する者がいるかもしれないとは思いもしなかったようだ。そうしてインターネットにたちまち「現実世界」に存在するのと同種の不快な連中が、例えば人種差別主義者や、

頑迷な人間や、性差別主義者がはびこった。〔…〕

プライバシーを侵害し、相手になりすまし、元カノや同僚に嫌がらせをしようと、要するにオンライン上で他人につらい想いをさせてやろうと手ぐすね引いている。もっと悪いことに、彼らはサイバースペースをこのようなユートピアたらしめている特徴を利用してそうすることができる。法も障壁も境界線もなく、政府も警察もなく、ほぼ完全な匿名性によって。その結果は、サイバースペース版のグレシャムの法則だ。つまり悪い話は良い話を駆逐するのである。

（ジョセフ・ヒース＆アンドルー・ポター『反逆の神話』）

サイバースペースは体制への反抗の拠点とされ、これまでの抑圧されていた内面、つまり無意識が解放される場所とされた。超自我のくびきから逃れ、禁止から逃れた自我がそこでは起動し、そして増殖した。反抗をもっともゲリラ的に行うために、匿名がクールなものとされた。ハキム・ベイはいった。「最も偉大な強さは、その不可視性にある」と。

インターネットが個人の自由と生存を保証するための自律ゾーンであり、そこを社会反抗の拠点とするという構想に熱狂したのは、ハッカー的な言論の自由の支持者だけではなかった。例えば前述のハキム・ベイの『T.A.Z.』は、欧州の新左翼のアウトノミアの影響が強く、それゆえに日本でも左派界隈でずいぶん持ち上げられた。労働の拒否、自由ラジオ、空き家占拠（スクウォッティング）といったアウトノミアの新しい存在論的反抗のひとつに、サイバースペースの「海賊のユートピア」が付け加えられた[15]。

しかし、その海賊のユートピアとは、個人の自己実現といえば体裁はよいが、実はたんなるエゴの許容にすぎないのではないかという、今となっては極めてもっともな批判もそのうち出てくることになる。政治哲学者であるマレイ・ブクチンは、アナーキストを自称するハキム・ベイの自律ゾーンの概念を単なるエゴイズムと社会的無関心の信条表明にすぎないガラクタと断じた。

マレイ・ブクチンがここまで自律ゾーン＝アウトノミア批判をするのには理由がある。その自由の思想が徹底的に個人的なものであるかぎり、単なる極端な自由主義であるリバタリアニズムと同じものではないかとみなしていたからだ。

ヒッピーは1960年代の挫折をへて、愛と自由と平和のポリシーから、相互扶助や平等という概念をいつのまにか消失させて、それぞれが内面の変革と称した社会的な「ひきこもり」をはじめた。それはアメリカに脈々と根付くリバタリアニズムへの回帰でもあった。そのリバタリアニズムという自由主義は、経済的自由主義、無政府資本主義とすら共鳴した。ヒッピーとヤッピーとの出会いは偶然ではない。そうしてハキム・ベイはここまで言っている。

「すべての人類（あるいはすべての感情を備えた被造物）が自由でない限り、わたしもまた自由ではない」と口にすることはすなわち、一種の涅槃の無感覚へと屈服すること、我々の人間性を放棄すること、我々自身を敗者と定義することである。

（ハキム・ベイ『T.A.Z.――一時的自律ゾーン』箕輪裕訳、インパクト出版会、1997年）

人がなにをしようとかまわない、どう野垂れ死んでも私には関係はない。他人の自由がなければ、私の自由は保証されないなどというのは負け犬の思想だ。私は私の信じるがままに在るだけだ。そしてそれが人間の実存なのだ……ハキム・ベイが言っているのはそういうことだ。これが海賊のユートピアにおける実存主義である。

ハキム・ベイはそうしたことが可能になる小さな連帯を「王国」という。海賊のライスタイルは、サイバースペースを称揚する人のみならずアナーキストたちからも自分たちの思想を実現するためのモデルとみなされることが多い。しかし海賊の自由はその小さな連帯の外部に、残虐と死の恐怖を誇示することによって成立したものだ。カミュの戯曲『カリギュラ』のようなものだ。ハキム・ベイはこうもいう。自律した海賊のユートピアでは、誰でも「朕は国家なり」なのだ、と。

こうして個人の自由を守るという自律ゾーンの思想は、国家や独占資本主義への反乱、既存の価値観への反抗という大義名分のもとに独善化した。これは内向化したヒッピーのリバタリアニズムとも、ヤッピーの究極の経済自由主義であるアナルコキャピタリズムとも相性はよかった。そればかりか「真実などなにもない」といったポストモダン的価値観とも親和的かつ、徹底的な個人主義を保証してくれるかぎりではアメリカの建国以来続いているナショナリズムとも共鳴することができた。

テクノロジーの進歩がすべてを解決するという楽観や、それが愛と平和を実現するという広告的詐術に目をくらませられている。そうして「大きな物語の終わり（共産主義という大きな物語）のすぐとなりで、というよりもその足下で」カリフォルニアン・イデオロギーというもうひとつの大きな物語は、ぬけぬけとふるまうようになったのである（東浩紀『ゲンロン0 観光客の哲学』ゲンロン、2017年）。

こうしてわたしたちは、カリフォルニアン・イデオロギーとサイバースペースの海賊のユートピアからできた、双頭の奇妙なモンスターに翻弄されている現在にいる。

ここで話を西村博之に戻そう。西村はまさしく、このカリフォルニアン・イデオロギーの申し子であり、海賊のユートピアをつくりあげた代表的な人間である。

2ちゃんねるは、何もかもが許されている海賊のユートピアであり、西村の「王国」でもあった。そこで西村は、様々な2ちゃんねるをめぐる問題について、徹底的に自分のルールに従うことをおしつけた。朕は国家なり。それが2ちゃんねるの本当のルールだった。

削除ルールや投稿の著作権の取り扱いなど、2ちゃんねるには独自の規約が多い。削除ガイドラインとその運用方法は、早くから裁判にて「恣意的かつ不十分」と指摘されていた。それに輪をかけて、独自の解釈といい加減な運用で、本来果たすべき責任から西村はのらりくらりと逃げていった。そして「2ちゃんねるはたんなるプラットフォーム。携帯電話で犯罪があったからと携帯キャリアに責任がありますか?」というような、言論の自由至上主義のアメリカからやってきた「インターネット例外主義」をふりかざす。

もし人が誹謗中傷などの被害にあったとしても「嫌ならば読まなければいい」と責任を回避した。「誹謗中傷はなくならない」「差別はなくならない」、だから2ちゃんねるに何を書き込んでもいいのだと、誹謗の自由や差別の自由を結果的に保護した。そして、海賊の子分たちはこれに拍手喝采し、ますますアナーキーな自由を謳歌した。これが2ちゃんねるが巨大化した理由だ。

西村が2ちゃんねるを開設したころ、まだインターネットは広大な海であり、未知の大陸、未開の島々の可能性に満ちていたところだった。まだ日本では、検索エンジンは、きっといまの若い人たちにはほとんど馴染みがないだろうサイトを手動で登録していくディレクトリ型のものだけだった。グーグルは前年に覚束ない足取りでクローリングを開始してサービスを開始したばかりだった。

2ちゃんねるは、まだ数少なかったネットユーザーがつくる総トラフィック数からすれば、今よりもずっと小さな存在だった。アングラサイトはそうして小さな悪事を自慢しあい、いわば海賊ごっこをしていた。そんな程度のものが彼らのサイバースペースの自由だった。

そのサイバースペースの島々では、誰もが知らない未知の情報をもちより、個人的賞賛の名誉と等価交換する原始的な交易が行われていた。海賊の悪事がバレたとしても、無数に大洋にある名もない島々の陰に逃げ込めばよかった。そうして、無法者は商船を襲い、港を襲った。だが、そのネットユーザーは莫大に増えだす。そうして王に率いられた匿名の海賊たちはやがて日本最大のトラフィックをもつアクセス数を稼ぎ出すようになる。

2ちゃんねるを新しい言論の自由のメディアであると賞賛した人たちは多数いた。そして、その流れはいまだに続いている。同時に、その言論の自由の被害者も続出した。SNSの時代となり、2ちゃんねる（現5ちゃんねる）は往年の勢いを失いつつある。若年層にいたっては、その存在さえ知らないものも多い。おそらく、これからゆっくりと消滅にむかっていくのだろう。だが、匿名の海賊の流儀は消え去ることはなく、やがて差別や誹謗中傷、デマ、フェイクニュースは、世論そのものすらつくりあげていくようになった。

2ちゃんねるがつくられた時点で日本国内のインターネット利用者数はわずか約270万人で、人口の2％程度。それが現在では1億人超の利用者がいる。その爆発的に増加したインターネットの言論空間には、いまだ海賊の流儀が堂々とまかりとおっているわけだ。そうした90年代からゼロ年代までの海賊たちのふるまいが忘れさられたまま、世間に流通していることについて、『ポスト・サブカル焼け跡派』（百万年書房、2020年）の著者ユニットのTVODの二人は次のように違和感を表明する。

**パンス**　もうインターネットのアンダーグラウンドな文化っていうより普通に浸透していて、そこで展開しているんだなーという感慨がありました。

**コメカ**　サブスクリプション・サービスと同じ感覚で違法アップロードサイトも閲覧されているというね。90年代～ゼロ年代と違ってネットが完全にインフラ化したから、アクセスできちゃうなら違法サイトだろうがなんだろうが一般消費者が流れていってしまうわけで……。20年前なら、違法サイトにアクセスするぞ～！というある程度強いモチベーションがないとそういう場には辿り着けなかったわけだけど（笑）。

SNSとかも含めて、WEBサービスが人々の生活環境を規定しまくってるのが現代。「そこにアクセスしている」っていう自覚を持つことすら難しくて、WEBが自明化しちゃってる状況というか……。(TVOD「今、スター化するひろゆき。歴史から切り離されて消費されている状況とは？」[16])

いっぽうで90年代に隆盛を極めた悪趣味系サブカルが、00年代から巷にあふれたネットの差別思想のボタンを押した犯人扱いされている議論がある。

「従来の権威主義的な文化へのカウンター」としてあえてエロティシズムやグロテスクなもの、社会で「タブー」とされていた表現などを取り上げて社会に突きつけたのだ。もっとわかりやすく言えば「本音では女性差別、障害者差別、外国人差別、貧困者差別などの意識があるのに、うわべだけ〝差別はやめましょう〟、〝人間みな平等〟などと言う教育者や政治家など〝おとなたち〟の〝化けの皮〟をはがして嘲笑したい」というところか。〔…〕

では、当時そうやって人権意識をないがしろにしていた当時の文化そのものをどう位置付けるのかと考えると、これはさまざまに生まれた先進的なカルチャーを差し引いても、「意味がなかった」どころではなく、その後の日本にとって「非常に有害だった」という方が正しいのかもしれない、とさえ私は思う。(香山リカ「かつてのサブカル・キッズたちへ」[17])

権威への反抗、そして自由な言論によって法や正義や倫理から自律していくという流れは、別にインターネットだけから派生したものではない。ハキム・ベイの「TAZ」のコンセプトも別にインターネットだけの話ではない。これはやはり時代的なものであったと考えるべきだ。これが日本では以前まで許されていなかった差別思想や露悪趣味の「鬼畜系」として90年代にあふれた。

さらにこれが、ネットに流れることでさらに増幅されて手のつけられないまでになったということだ。

しかし90年代悪趣味系はアングラというゾーニングがされてから成立したもので、むしろ一種のアイロニーだったというものもいる。

90年代の日本の出版文化の「鬼畜系」は、限られた読者と決して多くはない読者数の雑誌メディアで、その愛好者がここなら大丈夫というところではじめて成立するものだった。そして暗黙の了解として、書いている私も悪趣味、読んでいるあなたも悪趣味という共犯関係が前提にされていたはずだった。

どこかアンダーグラウンドなゾーンでも、そのアイロニーは閉鎖空間で楽しむもので、決して全体に共有されることを想定されていなかった。それが彼ら鬼畜系の海賊の掟であった。

例えば『ディープ・コリア』（根本敬・湯浅学・船橋英雄、ナユタ出版会、１９８７年）という本があった。発刊の１９８７年当時の韓国の極めてネガティブなイメージから書かれたルポルタージュだ。まだ韓国は軍政時代で、日本に伝わってくる情報も限られていた。そんななか、あけすけに戯画化した韓国の人々を描いたこの本は、見る人が見れば差別本だろう。

だが、おそらく当時の書き手も読み手もそんな意識はなかった……というより、差別に関する考え方が１８０度違っていたのだ。ディープ・コリアの読み手は、ここに本音で生きている人間たちがいるという、ある意味の人間賛歌のようなものを感じていたともいえた。「あの本を読んだ受け取り手は韓国に対して肯定的な受け取り方をしていました。当時の日本から失われつつあるプリミティブなエネルギーを感じていたと言えばいいのか」（ロマン優光）というのは正しいはずだ。

「そんな風に建前を言っているけど、本当は汚い欲望でいっぱいじゃないか。世界はこんなに汚いもので溢れている。お前らが覆い隠そうとしているような人間だって自分の人生を生きている」という風な異議申し立ての側面があったのが「鬼畜系」だったのです。

（ロマン優光『90年代サブカルの呪い』コアマガジン、２０１９年）

そのうえでロマン優光氏は指摘している。それは差別主義者はクソであるという前提が全員に共有されていることで成立したもので、それを知らない人が見れば、差別主義者そのものに見えてしまう。そして差別主義者が見た場合、それをアイロニーとして受け取られない可能性もある、と。

90年代のある時期まで、ネットのアンダーグラウンドは、そういう共犯関係があったともいえよう。ここは世間から隔絶されたサイバースペースである。そして、このユートピアでは何をも許されるという禁忌のない世界は、サイバースペースとしてゾーニングされている前提があったから初めて成立したものではないか。

サイバースペースは現実とパラレルに存在したもうひとつの世界と想定されていた。だが、それは現実そのものだ。そこに人々の「真実などなにもない。すべてが許されている」という無意識を無制限に拡張して人の顔の前におしつけることなどよいはずがない。それは単に本能のみで弱肉強食の世界を生きる動物である。

しかし、初期のインターネットでは利用者数が限られていたため、また小さな海賊の島のなかの出来事にすぎなかった。ところが、インターネットが従量課金から定額化してブロードバンド化し、さらにはアラン・ケイが夢見たパーソナル・コンピューティングの世界のはるかに未来を行く規模で、ウェブブラウジングができる携帯電話が普及すると、事態は変わり始めた。変わらなかったのは「真実などなにもない。すべてが許されている」という海賊の風習だった。

真昼の往来で、あたりかまわず罵声をあげたり、通りがかった人を罵倒する。陰部やグロを露出するものもいれば、奇妙な妄想を喚き散らすものもいる。ある人種、ある民族が劣っていると決めつけて、人の家にまで大挙押しかけて批難の声を浴びせる。

インターネットの隔絶した孤島でのみ通用した王国のルールが、白昼堂々現れた。これが現在だ。

ウェブ2・0などという言葉が飛び交いだしたのは、2ちゃんねるが強大な存在になって、そうした動物の世界が現実に溢れ始めたころだ。「集合知」ともよく言われた。

そのウェブ2・0の集合知の現実への発露が、必ずしも考えていたようなものだけでなかった事実を私たちはすでに何度も見てきているだろう。特定の人種を「殺せ」とあからさまな差別思想を拡声器でがなりたてる新宿の目抜き通りのデモから、ネットで扇動され「オフ会」の延長のようにアメリカ連邦議事堂を襲撃して占拠したトランプ支持者たち。自由を求めた対抗文化とサイバースペースは、憎悪の吹き溜まりとなり、ネットの「真実」を主張し、暴走する。

日本だけではない。海のむこうのアメリカでは、2ちゃんねるの影響を受けた匿名画像投稿掲示板「ふたばちゃんねる」のソースコードをそのまま使ってできあがった4chanが、日本の2ちゃんねると同じく海賊の吹き溜まりとなった。女性差別や人種差別、陰謀論の吹き溜まりとなり、ネオナチや白人至上主義者が流入し、初期のアイロニーとしての皮肉やタブー破りが、まさしく実態となっていった。

4chanが手に負えないモンスターとなると、管理人はそれを売却した。買い取ったのは、西村だった。西村は、日本の2ちゃんねると同じく、この匿名掲示板を、さらに自由放任主義でモデレートとした。そこから生まれたのが、名無しのQである。だから、西村は初期の名無しのQの正体のヒントを知るひとりということになる。西村はやろうと思えば、4chanのアクセスログからQの正体にいたるためのヒントを開示することができるだろう。

そのためか何かはわからないが、名無しのQは、ある時からジム・ワトキンスが西村の4chan買収に影響を受けて買収した8chanにその投稿場所を移動させる。こうして日本の匿名掲示板の奇妙なカルチャーをつくりあげた二人によって、Qアノンの培養器が準備されたことになる。そうして2021年の連邦議事堂襲撃事件にQは現実化してあらわれた。

おそらく偶然ではないだろう。連邦議事堂の襲撃事件の映像をみたとき、私には既視感があった。窓ガラスを叩き割り、警備の警官を押しのけて乱入した暴徒が、みなニコニコと笑顔だったことである。私は、この襲撃事件がひとつの「オフ会」であったのだろうと思った。そしてこの笑顔を新大久保の街頭で私は過去に何度も見たことがある。2ちゃんねるをはじめとする2000年代の匿名掲示板が生み出した、もうひとつのモンスター、在特会のデモである。解放される無意識、憎悪、タナトス、そして「正義」。これがウェブ2・0の集合知の結末だった。

## インターネット西部劇の時代

もともとはヒッピー御用達の西海岸のサイケデリックバンド『グレイトフル・デッド』の作詞者であったバーロウの海賊主義は、インターネットが普及するにつれ批判を受けていくことになる。バーロウ自身ものちに振り返って、この宣言が先走りしすぎていたことを認めているくらいだ。

「産業世界を牛耳る政府どもよ、お前たち肉と鋼鉄でできたか弱い巨人どもよ、私は新しい精神の住処、サイバースペースの住人だ。未来のために私はお前たち過去の人間に要求する。我々のことは放っておいてくれ、と。お前たちは我々にとって歓迎すべからざる客だ。我々の集まるところでお前たちの権威は通用しない」

これは『サイバースペース独立宣言』の冒頭である。

1996年の時点で、バーロウはインターネットが政府にとって重大な問題を引き起こすことをつきとめていました。そして現在と同様、人々は法律を破るためにインターネットを使いました。インターネットは、その行為を処罰する法から逃れるための2つのパワフルなツールを与えました。まずは、インターネットの匿名性がそれです。〔…〕ウィリアム・G・ギブソンのSFの「サイバースペース」という言葉をつかって、インターネットを言い表したのはバーロウです。そしてそのような「空間」の存在をでっちあげました。これは全くの間違いでした。オンラインで行われる人間の相互の関係は「サイバースペース」のなかで、独自の秩序をえることができるというのは、バーロウの罠です。

インターネットは、初期の理想主義者が信じていたように、独立して自治するようなことは決してありませんでした。

(Alex Kozinski and Josh Goldfoot "A Declaration of the Dependence of Cyberspace"「サイバースペース非独立宣言」[18] 清訳)

「サイバースペース独立宣言」がインターネット上に公開されたのは、1996年のクリントン政権によるアメリカ連邦通信法が改正されるときだった。1934年から60年以上もたっていた通信法は、様々なところで現状に即さないということで改正がアメリカ議会で審議されたのだが、そこで議論になったのはもっぱら当時大きな利権となって注目を浴びていた長距離電話の法的な取り扱いだった。そこに二つの法律が付け加えられようとした。ひとつが、インターネット上のポルノに対する厳しい禁止と罰則条項、もうひとつが現在のアメリカのインターネットにおける法訴訟の基礎となったプロバイダーはコンテンツに対して責任をもたないという条項だった。

ところが、このポルノのネット上での流通に関する規定がアメリカではもっぱら議論になった。

バーロウなどをはじめとするインターネットの言論や表現の自由を守るための運動が始まった。

この法案では、いかなるコンテンツ（法案の時点ではポルノは除く）が、インターネットに投稿され掲載されていたとしても、言論の自由の観点からサイト運営者は法的に訴えられることはないという、自由と免責の範囲が極端に広いものだった。

それと同時に、サイト運営者はサイトを管理するにあたって、その投稿の掲載の可否を判断することができ、投稿者から訴えられることがないという免責事項もつけられた。例えば、どんな誹謗中傷が書かれていてもサイト運営者には削除義務はないし、それによって訴えられることもない。逆に、これはサイトにとって好ましくないという判断があったならば、サイト運営者は自由にその投稿を削除したりすることもできる。例えばトランプのTwitterアカウントが削除されたのは、この後者の条項による。この一見矛盾するかのような条項は後々に議論を呼ぶ。

当然この法案は、ポルノ以外のサイトコンテンツには広範な自由が与えられるわけで、インターネットユーザー、特にバーロウのような海賊的な思想を夢見るものにとっては願ったりかなったりのはずだが、法案は批判を浴びた。原因はポルノの禁止に関する部分だ。

日本でもなぜか言論の自由の議論で真っ先に侃々諤々の議論になるのは、ポルノや二次元エロに対する批判だ。コミックや二次元キャラクターの性的なものを連想させるふるまいや、肌の露出や、ボディラインを過剰に強調したものは、女性権利運動から批判を浴びるが、そうなるといつもネットでは大騒ぎだ。言論の自由、表現の自由ということらしい。どうして必ずこうなるのか、私には今ひとつ意味がわからない。もっと大切な言論や表現の自由というのはあるのではないか。201

4年、アメリカで社会問題ともなった『ゲーマーゲート事件』も、このようなエロをめぐるネットの表現の自由の御旗を押し立てた一群の暴発だった[19]。いずれにせよ、バーロウも実質はポルノ擁護のために「サイバースペース独立宣言」を書いたともいえよう。海賊の島々の交易商品にはポルノのしめる割合が大きかったのだろうとも想像できる。

バーロウたちの運動の効果もあったのだろう。ポルノコンテンツの禁止に関する条項は訴訟沙汰になり、連邦裁判所にて憲法違反と認められ、通信法改正から外されることになった。しかし、残りの部分はほとんど全く議論とならず、法となった。

こうして施行されたのが通信品位法230条である。なお、この法の「品位」という言葉は、ポルノ禁止の条項がもともとあったためにつけられている条項名で、それが外されても名前だけが残っているものだ。実社会では許されてない言論が法的に保護されてしまうこの法は、むしろ「インターネット自由法」とでもいったほうがよいくらいだ。

こうして成立した1996年通信法の230条通信品位法の施行と同時に、次第にユーザーもトラフィックも大きくなってきたインターネットで様々な問題が噴出しはじめて、それがこの法律によって裁かれていった。その結果は、どんな犯罪や誹謗中傷やウソやデタラメが掲載されていても、サイト運営者には責任がないというものだった。

アメリカで世界に名だたるSNSやCGM（コンシューマー・ジェネレイテッド・メディア）が出現する理由のひとつに、この通信品位法をあげる人もいる。これによって法的リスクがなくなったから、CGMやSNSをつくりやすかったということらしい。

ネットの違法コンテンツや法的侵害コンテンツの対策をしたことがある人ならば知っていることだが、アメリカに経営の地盤があるサイトが、削除依頼や差別的なコンテンツなどに対して対策をとらない理由はここにある。代表的なのがヤフーとTwitterだ。Twitterはアメリカ企業なので、ストレートに通信品位法の規定のもとに対応して、あとは「善きサマリア人」としての対応をするだけだ。つまり善意で対応するが、その結果には責任がとれないということだ。ヤフーはすでに日本法人のはずだが、やり方はいまだにアメリカ方式でもっとも融通がきかない。しかし、それが彼らのやり方なのだろう。ヤフーニュースのコメントの野放しが差別や誹謗中傷の吹き溜まりとなっていることは強く批判されてきているが、この対応もほ抜本的には進まない。これもその証左である。

1996年に渡米し、そのアメリカで2ちゃんねるを立ち上げた西村が、通信品位法の議論を知らないはずがない。おそらくその影響を強く受けているし、日本でもそのサイバースペースの海賊の掟を武器にすることをもくろんだはずだ。西村が2ちゃんねるを立ち上げてからしばらくは、日本ではインターネットのサイト運営者に関する法律は存在しなかった。アメリカの例外的なインターネット自由放任主義はすでにアメリカでは西部劇の時代のようなサイバースペースの弱肉強食の世界をつくりあげていた。西村はそれを学んだのだろう。2ちゃんねるは、その世界を日本で見事につくりあげた。

その影響は2ちゃんねると西村の発言のいたるところにみられる。例えば、2ちゃんねるで、もっとも問題のあるサイトの運営方法である削除申請の公開も、アメリカの商品レビューサイト『リップオフレポート』などで、そのレビューに企業が不服を申し立てるときのルールだ。

その『リップオフレポート』は、エド・マジェドソンという反体制ヒッピーあがりの男がつくったサイトだ。1970年代にマジェドソンは、街角の花売りをヒッピーたちを使って路上でチェーン展開する「フラワーチルドレン」という会社をつくっていた。日本でもよく街角でみる雑誌「ビッグイシュー」の販売方法と似たようなものだ。それをフラワーチルドレンの創設者は、反資本主義のオルタナティブな社会活動として位置づけた。その後、低所得者向けの住宅事業や、不用品交換会などを主催して商売をしていたが、ことあるごとに政府や企業とぶつかった。ある時、その不満をインターネットで表明することを考えた。そして消費者の権利をうたいあげた掲示板サイトをつくり、それがこのレビューサイトの原型となった。[20]

西村が2ちゃんねるを立ち上げた前年の1998年に『リップオフレポート』はたいへんな話題となり、消費者向けのコミュニティサイトの代表格となった。だが、問題も続発した。「リップオフレポートはすべての投稿が真実で正確であることを保証しません。賢い消費者として行動してください」とサイトに但し書きがある。「嘘が嘘であると見抜けない人には2ちゃんねるは難しい」とかつて西村が放言していた、モデレートしないウェブサイトの考え方がここにある。明らかな虚偽や、たんに誹謗するためのレビュー投稿が相次いだが、例によってアメリカではこれも言論の自由である。通信品位法に守られて、『リップオフレポート』は、現在でもアメリカでは老舗の人気サイトである。

このサイトでは、企業側が反論したり、そのクレームの申し開きを公開で投稿したりすることができる。ただしサイトのポリシーは「いかなる理由でも削除はしない」だった。2ちゃんねるでは、削除はできるが、その削除申請は公開されていたのは、おそらくこの影響だ。この投稿者の言論を優先する方法は、大企業に不満を抱いたとしてもその声が届かない消費者の権利保護という観点からは、それなりに意義があることだろう。だが、2ちゃんねるでは企業のみならず個人の誹謗中傷などの権利侵害に対しても、削除申請は公開された。これだとまるでさらし者に自分からなるようなものである。そして削除依頼を監視しているユーザーはそれをみつけては面白がって転載する。集団攻撃がそこからさらに加速して被害はさらに拡大する。

ここでも本来は弱者の救済の立場から自由を唱えていたヒッピーたちの思想が反転して、なぜか自由はリバタリアン的な弱肉強食の世界の論理に使われているのがわかる。2ちゃんねるでは西村の恣意的な削除ルールの基準を満たさないという理由で、削除申請が受けいれられず、さらには法的な削除の依頼も西村のルールを守っていないということで却下されたり、無視されることもあった。繰り返すが、これらの2ちゃんねるの削除依頼の公開もふくめたルールは、初期の裁判から不十分かつ恣意的と裁判ではたびたび指摘されている。

もうひとつ付け加えておくと『リップオフレポート』は、企業側が投稿者に対してコメントしたり、直接連絡をとったりすることは有料のオプションとしていた。それによって投稿者はレビューの内容を書き換えることもできた。企業側の救済措置もあったわけである。また企業向けの法務仲介サービスすらも備えていた。ただし、投稿をめぐって企業から対価をとるのはマッチポンプのようなものではないかという批判もあった。

2ちゃんねるでは、のちに対価を得て削除業務を行うサービスが、企業や法曹関係者向けとして、こっそりと立ち上げられていた。ここにも『リップオフレポート』の影響がみてとれる。「いじめはなくならない」とは西村のよくいう主張だ。「投稿が嫌ならみなければいい」も繰り返し発言している。「文句があるなら裁判をすればよい」ともいう。だが、そんな面倒を解決する方法がひとつある。カネを払えということだ。これが西村のカリフォルニアン・イデオロギーの正体であり、海賊のルールである。力のあるものが勝つ。弱いものはカネをよこせ。西部劇の無法地帯のルールである

## 匿名部族の時代――無名のエクリチュールとナショナリズム

インターネットの無法ぶりと、力がすべてを決めるという弱肉強食の世界をアメリカ開拓時代に例える人は多い。テクノロジーと電子メディアの進歩が、そんな世界を招来すると言っていたマーシャル・マクルーハンも、そのひとりになるだろう。

マクルーハンは、電子メディアのテクノロジーが発達し、世界がそれに浸食されていくと、世界はひとつの村のようになると言った。

「グローバルビレッジ」という言葉は、1960年代にさんざんもてはやされ、それは世界がひとつの共同体のようになっていく理想的な社会のイメージで受け取られた。おりしもヒッピーや新

左翼が、新しい連帯を唱えていたころだ。

メディアテクノロジーは、単なる技術の進歩ではなく、それが人間の内面をも変えていく。マクルーハンはいう。そうしてテレビやラジオのようなメディアの進歩により、表音文字で論理的な思考方法を学んできたことにより成立した近代は、現代においては、映像メディアなどの聴覚的メッセージの伝達方法により、感覚的で直感的になり、結果として近代がつくった人間の内面のようなものが融解していき、先祖返りしたかのような集団思考に統合されていくようになるだろう。それをマクルーハンはアジア的ともいい、その集団統合を「部族」ともいった。文明から部族化へ、人間は最新のメディアテクノロジーによって逆に先祖返りするだろうということだ。

マクルーハンは「私は説明しない。探求するのみ」とうそぶきながら、アフォリズムでたえず人をけむにまくような人だった。だから、それを自分たちの希望的未来像のなかで理解する人も続発した。それをむしろマクルーハンは楽しんでいるかのようでもあった。そうやって勘違いしたままメディアの未来、つまり私たちの存在そのものの未来に突入していけばいいとでもいう風に。

日本でもマクルーハンブームといえるようなものもあったが、もっぱらそれはテレビのようなメディアが社会に及ぼす影響を肯定するようなことに使われただけだった。当時日本にマクルーハンの翻訳書がなかった時代、政治評論家の竹村健一は、もっぱらマクルーハンをビジネス書のように取り扱い、ひと山当てた。そのころ、マクルーハンの日本語翻訳本は、まったく出版されていなかった。

だからマクルーハンが、グローバルビレッジや部族といったとき、誰しも当時のヒッピーのフラワームーブメントを想像したに違いない。ヒッピーは東洋に傾倒し、それをアメリカ文化から逃避するための道しるべにしていたころだ。

ジェイムズ・ジョイスの『フィネガンズ・ウェイク』は、電気的テクノロジーによって再び部族化した西洋が、東洋にどのような影響を与えたかを示したものである。〔…〕ジョイスのこの本の題名は、電気的テクノロジーによって西洋が東洋化し、西洋と東洋がひとつになることをずばりと表現している。

（マーシャル・マクルーハン&クエンティン・フィオール『地球村の戦争と平和』広瀬英彦訳、番町書房、1972年）

マクルーハンはいう。西洋文明はアルファベットという表音文字を視覚的に認識することによって可能になった。やがて、それはグーテンベルクの活版印刷によって、誰でも製本された知識を得られるようになって、知識を独占していた教会を中心とする中世社会のシステムを破壊し、同時に近代的な人間を生み出した。視覚によって文字を論理的に理解することによって、自我を確立させ、フロイトのいう無意識と分離させた（マーシャル・マクルーハン『グーテンベルクの銀河系』森常治訳、みすず書房、1986年）。

しかしテレビやラジオのような電子的なメディアが隆盛すると、文字を通じて得るような論理的な思考がいわば先祖返りする。聴覚情報は深層意識に入り込みやすい。より感情的、直観的、非論理的なメッセージに人は取り囲まれるようになる。メディアは本来、人間の感覚の外部への延長だが、それは逆流して内爆発をおこす。そうして新しい世界に移行していく。その世界をグローバルビレッジといい、そこに生まれた新しい人間を部族という（マーシャル・マクルーハン『人間拡張の原理――メディアの理解』後藤和彦・高儀進訳、竹内書店、1967年）。

こうした考え方を、当時の人々は狐につままれたように受けとめながらも、テクノロジー礼賛論の一種と受け取った。しかし、実際はそんなものではなかった。

この当時、マクルーハンが、ジェイムズ・ジョイスの『フィネガンズ・ウェイク』を引用した意味を理解したものは、ほとんどいなかっただろう。難解きわまりない、この実験的小説は、いかようにでも解釈は成り立つが、明るい未来や人間への肯定、ましてやハッピーエンドなど存在しない。ジョイスは日本もふくめた東洋趣味の持ち主だったが、決してアジアの歴史や社会に単純に肯定的だったとはいえず、複雑な見方をしていた（山田久美子『ジェイムズ・ジョイスと東洋――「フィネガンズ・ウェイク」への道しるべ』水声社、2018年）。

マクルーハンブームが世界でも落ち着いてきた1977年、ヒッピーはすでに没落して内向化していくなかで、マクルーハンは、そんなことも気づかなかったのかというように、種明かしするように、グローバルビレッジが、明るい未来であるかのような希望的観測を否定する。

――あなたはこう予言なさいました。世界は地球村になりつつある、と。地球的な意識を持つようになると。はて、本当にそうなりつつあるのですか？

「〔…〕いえいえ、私たちは今、逆回転しています。双脳精神に戻りつつあるのです。部族的、集合的であり、個人的な意識を欠いた状態で、です。」

――しかし、マクルーハン博士、部族的な世界は友好的ではないようですね。

「まったくです。部族的な人々の主要なスポーツは互いの虐殺ですから。部族的な社会での常習的なスポーツです。」

――でも私はこう思っていましたよ。地球的で部族的になるにつれ、私たちは努力するようになるだろうと、つまり……

「距離が縮まるほど、互いを愛そうとするとでも? 知られる限りの状況で、そういうものが生じた証拠はありません。人間は距離が縮まるほど、残酷さを増し、互いに耐えきれなくなるのです。」

（マーシャル・マクルーハン『マクルーハン発言集――メディア論の想像力』宮澤淳一訳、みすず書房、２０２１年）


マクルーハンは、メディアが人間意識の変革をせまるとき、それにあわせて人間存在にまで影響が及ぶばかりか、それは社会も含めて混乱をひきおこし、耐えがたい苦痛になると確かに言っていた。活版印刷技術が宗教改革の凄まじい混乱を招いた。さらにそれが遠因となった国民国家や個人主義、そして近代合理主義そのものすら、私たちの歴史にとっては苦痛の連続で生み出されたものである。

マクルーハンは、現代の電気テクノロジーにより、人間が論理よりも非論理に浸食され部族化されることによって、決してわかりあうことができない争いがはじまることを最初から示唆していたわけである。確かにマクルーハンは、最初からグローバルビレッジが愛と平和の場所などとは一言も言及しておらず、もっぱら不穏な未来として描き出している。ただ、それでもこの事態は避けられないということを強調しただけだった。

この暗い未来感はマクルーハンブームの頃にはまったく見逃されたし、いまだに日本でもマクルーハンをテクノロジー礼賛の人物として捉えている人がいるくらいだ。悲劇は避けられない。ただ嵐のなかにむかっていくのみ。そういうことなのだろう。そして私たちは、確かにテクノロジーの嵐の真っただ中にいる。

さて、もうひとつマクルーハンはグローバルビレッジの部族におこるであろう内爆発について、こんな預言をしている。

> あらゆる形態の暴力はアイデンティティの探求です。辺境で生き延びる人にアイデンティティは存在しません。その人は誰でもありません。するとずいぶん勇ましくなる。自分が何者であるか証明しなくてはならないため、暴力的になる。つまりアイデンティティは常に暴力を伴うのです。
> （マーシャル・マクルーハン『マクルーハン発言集——メディア論の想像力』）

2ちゃんねるは、一般に「匿名掲示板」と呼ばれている。しかし、その特異性を明確にするには、もう少し正確に書いたほうがいいかもしれない。

匿名とは名前を秘すことで、ネット用語のいわゆるハンドルネームやアカウント名もいわば匿名である。しかし2ちゃんねるの場合は、ほかのSNSやCGMと違い、その匿名の個人を識別する記名そのものがない。正確にいうと記名しなくとも投稿はできるばかりか、むしろ記名しないことが推奨されている。もちろんユーザー登録も必要なく、ただ書き込めばいいだけだ。だから正確にいえば匿名掲示板というより「無名掲示板」といったほうが正しい。

2ちゃんねるという無名掲示板には個人を識別する固有名が存在しない。発話の主体を保証して、その意味を担保するものが欠落したまま、なにか純粋な発話と発話が取り交わされる。まるで、どこからか聞こえる声と声が無限に繰り返されていくベケットの小説のようだ。

私とは誰なのか。他者とは誰なのか。そんな近代以降に発生した哲学的な問いを、この「無名掲示板」は、常につきつけている。無名掲示板で、日々何万人何十万人の間で行われる、このコミュニケーションの異様さは、本来特筆されてしかるべきものだ。そこでは誰しも自己をアイデンティファイするものがないばかりか、他者と自分を判別する手段さえない。そればかりか、言語本来がもつ、真理を探究するための担保が欠落しているのである。

西村はそんな無名掲示板にした理由を次のように語っている。

安倍首相が実名でネット掲示板に書き込んだら議論どころじゃなくなる。純粋に議論するな

ら、人格はないほうが議論しやすい。（毎日新聞取材班『ネット君臨』毎日新聞社、２００７年）

一方で、2ちゃんねるは匿名だけではなく実名でも書いてよいとも注釈している。しかしそうして実名で書いている人はほぼ皆無で、例外的なケースにすぎなかった。さらにハンドルネームという固有名を自分で名乗ることもできる。いわゆる「固ハン」だ。しかし、これは例外的なものであり、むしろ固ハンのユーザーは2ちゃんねるでは、そんなには尊重されなかった。現実社会とは全く別である。発言の連続性を担保するための措置でなければ、たんに目立ちたがりや自己顕示欲が強いものとみなされるのがもっぱらだった。

そして2ちゃんで無名であることは、自分の地位や性別や年齢、さらには出自や経歴なども明かさないため、対話はフラットな平等性を帯び、あたかも疑似デモクラティックな言論空間が生まれることになる。学者であろうと、経営者であろうと、政治家であろうと関係がない。ただ、純粋なコミュニケーションや情報がやりとりされる。これをロラン・バルトにならって呼ぶならば「エクリチュール」であり、フーコーのように「作者の死」ということもできなくないだろう。固有名（作者名）を欠落させた、亡霊のように記号と意味が連鎖するエクリチュールである。

作者が死んだまま亡霊のように連鎖するエクリチュールの群れは、近代のルールである主体のしがらみを離れ、作者すら想定しなかったような自由な真理（意味）を見出す。西村がいうところの「ロジック」とはそういうところで見出されるべきものだ。むしろロジックは純粋な真理であるから、作者が誰であるかは問われないということだ。

「サイバースペース非独立宣言」で、インターネットにおける匿名性は、ネットのパワフルな特徴のひとつでもあるとされた。

確かに匿名のコミュニケーションというのは、インターネットなしでも可能だが、それはアイデンティティを完全に欠落させているというわけではない。誰もが街中にでて買い物をして道を通り、喫茶店でコーヒーを飲んで、電車で家に帰るだろう。その中で出会う人々は何万人にもなる。その出会う人、そのコミュニケーションのすべてが無名である。

だが、そのすれ違う人には、顔があり、服を着て、歩きながらの特徴もある。表情を見て、身長と体重や身なりでどんな生活をしているかもわかるかもしれない。話しかけることもできるだろう。そうすれば、その声を聴く。

インターネットの無名掲示板ではこうはいかない。あるのはテキストだけである。そこで映し出されるテキストも映像も実態はない。単なるコードという記号の羅列が電子的に並んでいるだけだ。昔のように物理的に手元にある印刷された紙でもない。ログアウトし、シャットダウンする。それで終わりだ。いや、データはどこかに保管されている。しかしそのサーバーもシャットダウンすれば終わりだ。今見ているGUI環境でインタラクティブに操作している画面であっても、実は実態はコードの羅列にすぎない。

東浩紀は、このコミュニケーションの実体が、実は無味乾燥なコードの羅列にすぎない事態を、フロイトの概念をつかって「不気味なもの」という（東浩紀『ゲンロン0　観光客の哲学』）。私たちは無名掲示板で、透過光に彩られた不気味な記号でできた、自己と他者が混然一体とした幽霊をみているだけだ。

意見が飛び交う活性化されたスレッド、つまり、たくさんの意見が書き込まれる掲示板には、一見すると多様な見解が飛び出し、議論がさかんに行われるのでないかというイメージをもたれる方もいるかもしれない。

それは違う。2ちゃんねるのような無名的な匿名を前提とする掲示板には議論は生まれないのである。〔…〕

議論とは主張する主体が必要なのであって、多数の「無名」からなる掲示板ではそれが不可能なのである。

（鈴木淳史『「電車男」は誰なのか』中央公論新社、２００５年）

発言はその発言のコンテキストのなかで判断される。発言の過去や背景、その発話者が何者かということもその発言の意味を担保するだろう。ところが無名ではそうはいかない。ある発言があっても、それは誰がいったものかわからない。その発言に対する批判や賛同があったとしても、それが誰だかわからない。もしかすると自分で自分の発言にレスをつけたものかもしれない。いわゆる「自作自演」だ。

確信犯的にウソをついても咎められることはない。真偽不明の情報を書いたとしても同様だ。その不確かな情報を流した過去は、本来ならば、その発言の真偽を判断する重要な情報になるだろう。しかし、それもできない。

さらに鈴木はそのような主体ならざる匿名の議論は、所属や経歴というような固有性を消し去り、一般性に埋没したい欲求であり、自己の統一性を破棄して普遍性に寄り添いたいという欲望なのだという。だからこそ、彼らは正義をもとめて、良識を共有しあうという。それがたとえ自警団のようにふるまおうと、その正義と良識の発露なのである、と。しかし、それは本当のことなのだろうか。

ベネディクト・アンダーソンは、そのナショナリズム論のなかで、「無名」が果たす機能について幾度も言及している。均質で空虚な時間のなかで、無名の人たちが様々な暮らしをしている。それを想像することが「匿名の共同体」を作り出すという。これが、本来は赤の他人であり、血族関係もないし、出会ったこともない人々が、鈴木がいうとおり固有性を放棄することによって、なんらかの普遍的な同胞意識と平等一体なる「国民」（ネーション）というフィクションをもたらすということだ。

柄谷行人は、本来ならばもっと生活に重要な人間関係があるのにもかかわらず、時としてまったく関わり合いすら希薄な無名の人物にシンパシーを感じている倒錯（「風景の発見」）こそが、「日本近代文学の起源」にあるとした。そしてベネティクト・アンダーソンと同じく、この国民国家こそが、このような倒錯を前提としたものだとも付け加えている（柄谷行人『日本精神分析』文藝春秋、2002年）。

他者の無名性によって想像された共同体が、正義と良識をどこかで見出す。だが、それはもちろん無謬のものではない。それが、たまたま無意識が論理化した「集合知」として荒れ狂うこともあるだろう。まさしくルソーのいう「一般意志」のもつ危険性である。

一時期、このような匿名の集合知が、ネットで持ち上げられるようになったこともある。いわゆる「ウェブ2・0」である。だが、現在この考え方をそのまま肯定するほどナイーブな人はいないだろう。ネットの集合知は、むしろ誤る。

西垣通は、こうした安易なネット集合知の過大評価に早くから警鐘を鳴らしてきた人だ（西垣通『集合知とは何か――ネット時代の「知」のゆくえ』中央公論新社、2013年）。いわく、インターネット時代には、専門知の権威を無批判に受けいれることはなくなった。誰でも自由に議論し、主張することができ、情報が比較にならないほど多様化したからだ。だからといって、ネットの集合知が魔法のように何かを解決するというのは安易すぎる。集合知は、その知の担い手同士の独立性や多様性が担保される時にその力を発揮するもので、クローズドな環境や偏った意見に多数が影響されている時は誤る。

また例えば「首都を移転するべきか否か」というような、個人の価値観や利害関係によって意見が変わるものに「正解」を安易なロジックで導き出すことはできない。これらは本来、対話と妥協と調整によって合意点を見出す民主主義的プロセスが必要となる。それがネットの匿名の議論にむいているかといえば、かなり疑問であろう。

もちろん、このような例を持ち出すまでもないだろう。ネットの疑似科学、ワクチン陰謀論、選挙投票操作陰謀論、幼児虐待陰謀論等々、こうしたものはすべて「集合知」であったといえる。そうして、あたかも名無しのQによってモデレートされた、読者参加型のゲームのようなQアノンは現実として吹き上がった。日本もまったく例外ではない。「在日特権」（野間易通『「在日特権」の虚構』河出書房新社、２０１３年）を信じている業界のトップ経営者が、荒唐無稽な陰謀論を会社のホームページに掲載するようなことが、いまだに続いているのが日本である。

ベネディクト・アンダーソンや柄谷行人は、人々の無名性が起源にある国民国家を想定したが、ネットは国家を横断する。マクルーハンのいうように部族化されるわけだ。それぞれの集合知という、小さな一般意志が生み出した集団が跋扈する。一般意志は常に正しい。それがこの集団のモットーとなる。それをサイバーカスケードというものもいるだろう。そこでは集団は自らのアイデンティティをもとめて荒れ狂いながら彷徨うだろう。

90年代のネットでは「真実などない。すべてが許されている」という世界に、「アイロニカルな没入」（北田暁大『嗤う日本の「ナショナリズム」』ＮＨＫ出版、２００５年）をすることが、ひとつの思考実験的には許容されていた。あくまでも大洋の離れ小島での出来事だったからだ。だが、そういう時代ではなくなった。ウソは反復されるうちに事実となることもある。虚偽だったとしても、情報は繰り返されるうちに、人はそれを信じるというのはナチスの宣伝大臣のゲッベルスの言葉だ。これを心理学者は「真理の錯誤効果」という。これが「集合知」の正体である。そして小さな海賊の王国から浸食し、一般意志のような存在となったならばどうなるだろうか。そこには嗤い（アイロニー）はもはや存在しない。

一方で、私たちはもはやこの現象が日本独自のものではないということも知ることになった。4chanから8chanへと匿名掲示板を舞台に生み出されたQアノンの陰謀論は、まさしくロマン主義シニシズムである。シニシズムの果てに生み出された奇妙な感動物語『電車男』が、日本で一世を風靡した時代があったが、そのアメリカ版のネガがQアノンともいえる。真実かどうかなどということは、匿名空間ではもはやさしたる価値を持たない。

そしてその真実と虚偽が織り交ざった空間のなかで、どこかから聞こえる誰とも知らない声が、ネット右翼を育て、アメリカではオルタナ右翼を生み出した。これは偶然の一致なのだろうか。

わたしたちは、すでにその答えをみている。マクルーハンの嘲笑うような預言のとおり、この事態をバックミラーをみながら対応することはできない。Qアノンもネット右翼も、その先駆けにすぎないだろう。そうしてわたしたちは全速力で未来に突入していくだけである。

2ちゃんねるの時代は終わるだろう。すでに、ユーチューブやTikTokといったメディアが大量の真偽不明の情報を流す時代だ。しかし、最初期に日本のみならず世界の言論空間のひとつのスタイルをつくった影響力は大きい。そこでは、無意識のなかの主語を失った主体が、匿名の政治的市民としてたち現れる。

私は匿名の議論の良しあしを言いたいわけではない。ただ、時代はそこに突入していく。その時に、果たしてリバタリアン的な弱肉強食の世界で、高速度な資本主義と軽やかに戯れるような芸当を、皆がふるまいつづけられるだろうか。

**注**

[1] ひろゆき（2ちゃんねる、ニコニコ動画）「世界の仕組みを解き明かしたい」『本人 vol.9』太田出版、2009年

[2] https://wpb.shueisha.co.jp/news/society/2019/04/06/108577/

[3] https://www.cyzo.com/2022/07/post_316271_entry.html

[4] https://president.jp/list/author/ ひろゆき【2022年1月アクセス時点】

[5] ひろゆき（西村博之）『僕が2ちゃんねるを捨てた理由』扶桑社、2009年

[6] この裁判については、そこにいたるまでの2ちゃんねるの訴訟リスクや租税回避をするための経営スキームを該当裁判記録から別にまとめているので、そちら（拙著『Qアノンと日本発の匿名掲示板カルチャー（仮題）』東洋経済新報社、2023年発刊予定）を参照していただきたい。
なお、ドメインの所有権はジムのものと認められたが、2ちゃんねるの商標権は西村が申請していたため、こちらは西村のものと認められた。2ちゃんねるが名称変更し、現在では「5ちゃんねる」となっているのはこれが理由である。

[7] この日韓ワールドカップを境にネットで排外主義とレイシズムが爆発した経緯については拙著『サッカーと愛国』（イースト・プレス、2016年）に詳述している。

[8] https://www.bengo4.com/c_23/n_6109/

[9] http://japan.cnet.com/interview/media/story/0,2000055959,20361282,00.htm（※現在は削除されてい

る）

[10] https://web.archive.org/web/20080203133758/http://web.soshisha.com/archives/otaku/2007_1220.php

[11] https://japan.cnet.com/article/20361282/（※現在は削除されている）

[12] 映画「ATARIGAMEOVER」より。

[13]「Timothy Leary Interview in Japan」『Fool's Mate』１９９０年1月号（１００号）、フールズメイト、１９９０年

[14] ハキム・ベイ『T.A.Z.――一時的自律ゾーン』箕輪裕訳、インパクト出版会、１９９７年

[15] もっとも日本の左派界隈はテクノロジーへの親和性が決定的に欠けていた。むしろ海賊のユートピアは右派に活用されることになる。

[16] https://qjweb.jp/journal/53297/

[17] https://imidas.jp/josiki/2/?article_id=l-58-268-21-08-g320

[18] Alex Kozinski and Josh Goldfoot "A Declaration of the Dependence of Cyberspace" (http://alex.kozinski.com/articles/A_Declaration_on_the_Dependence_of_Cyberspace.pdf)

[19] 匿名掲示板4chanで、とあるゲームプロデューサーの女性が、元恋人から私生活の暴露をされたことから始まった、いわゆる「ネット炎上」。だが、その暴露の内容に、女性の立場を利用して、自分の立ち上げたゲームの評価を高くしようとしたという虚偽の内容が含まれていたため、これまでゲーム業界内の性的女性表現などの種々規制に不満をもっていた、男性ユーザーがネット上で暴発。ゲームプロデューサーの女性のみならず、女性のゲーム関係者への個人攻撃や個人情報がネット上に掲載されるなどし

て、収拾がつかない炎上状態になった。この個人情報の公開や誹謗中傷が、犯罪レベルで延々と続き、社会問題化したため、当時の4chanの管理人クリストファー・プールは、このゲーマーゲート事件関連の書き込みを禁止する処置に出る。これに不満をいだいたユーザーは言論の自由を唱えて反発し、その圧力に嫌気がさしたプールは、4chanを西村博之に売却することになる。4chanの反フェミニズムのミソジニー傾向を決定づけ、右傾化の流れをつくったともいえ、その後に続く「ピザゲート事件」や「Qアノン」の登場の前段階の事件でもある。

[20] ジェフ・コセフ『ネット企業はなぜ免責されるのか』小田嶋由美子訳、みすず書房、2021年。

| | | |
|---|---|---|
| | 10 | 4chanからスピンアウトした「8chan」が開設。管理人はフレデリック・ブレンナン。 |
| 2014 | 2 | ２ちゃんねるがジム・ワトキンスによって掌握される。西村はアクセス不能に。 |
| | 4 | ２ちゃんねるに対抗する「2ch.sc」が西村によって開設。 |
| | 8 | 4chanで、ゲーマーゲート事件勃発 |
| 2015 | 1 | ジム・ワトキンス、8chanを買収。 |
| | 8 | 西村博之、4chanを買収。 |
| 2016 | 3 | ２ちゃんねるの商標登録が西村によって完了。 |
| | 10 | Ｑアノン陰謀論のプロトタイプとなる「ピザゲート陰謀論」が4chanで隆盛。 |
| 2017 | 8 | 無法地帯となった8chanをクラウドフレア社（CDNプロバイダー）契約打ち切り。 |
| | 10 | 商標登録された２ちゃんねるの名称を、ジム・ワトキンスは「５ちゃんねる」に変更。 |
| | | Ｑアノンの匿名アカウント「名無しのＱ」が4chanに投稿開始。 |
| | 11 | 「名無しのＱ」、投稿場所を8chanに移動 |
| 2018 | 5 | Ｑアノン信者による事件が続発。 |
| | 6 | ２ちゃんねるの事実上所有権を争った裁判、一審判決で西村勝訴。 |
| | 8 | Ｑアノン信者が全米の政治集会に現れ始める。 |
| 2019 | 4 | ２ちゃんねるの所有権裁判、東京高裁で西村逆転敗訴。11月に最高裁で判決確定。 |
| | 9 | ジム・ワトキンス、続発する8chanユーザーの犯罪を問題視した連邦議会公聴会で証言。 |
| 2020 | 11 | アメリカ大統領選挙でトランプを破り、ジョー・バイデンが選ばれる。 |
| | | ロン・ワトキンス、8kun（旧8chan）の管理人を辞任。 |
| 2021 | 1 | Ｑアノン信者らによる連邦議事堂襲撃事件 |

## ２ちゃんねると西村博之にまつわる裁判の関連年表（1999年～2021年）

| 年 | 月 | 出来事 |
|---|---|---|
| 1999 | 5 | ２ちゃんねる開設 |
| 2000 | | ジム・ワトキンス、日本代理店（株式会社ゼロ）を通じて、２ちゃんねるにサーバー提供開始　※詳細な開始月は不明 |
| 2001 | 1 | 「ピンクちゃんねる」（２ちゃんねる隣接のアダルトサイト）開設。経営はジム・ワトキンス。 |
| | 3 | 日本生命による初の２ちゃんねる裁判。東京地裁は書き込みの削除を命じる。 |
| | 8 | ２ちゃんねる閉鎖騒動 |
| | 9 | A動物病院が告訴。翌年に地裁判決。500万円の支払い判決。 |
| 2002 | 3 | 有料ビューワー開設。ジム・ワトキンスの権利となる。 |
| | 5 | プロバイダ責任制限法施行。 |
| | 6 | DHCが告訴。翌年700万円支払い判決。 |
| | 9 | 東京プラス社（２ちゃんねるの収益のストック会社）設立 |
| 2003 | 4 | 未来検索ブラジル社設立 |
| 2004 | 10 | 4chanがクリストファー・プールによって開設 |
| 2005 | 11 | カドカワグループのグループ会社ニワンゴ社の取締役就任 |
| 2006 | 12 | ニコニコ動画リリース |
| | | この頃、裁判多発で雲隠れ報道。 |
| 2008 | 10 | ２ちゃんねるを譲渡したと発表。譲渡先はシンガポールのパケットモンスター社。 |
| 2011 | 11 | 麻薬の違法取引書き込みを削除しなかったということで、麻薬特例法違反で、２ちゃんねるのサーバー代理店ゼロ社に家宅捜査。 |
| 2012 | 3 | 麻薬特例法違反で、西村自宅、未来検索ブラジル、東京新聞社（ガジェット通信）に家宅捜索。 |
| | 5 | ２ちゃんねるのドメインの所有者が、パケットモンスター社からジムのフィリピンの会社（レースクイーン）に変更。 |
| | 11 | 西村自宅や未来検索ブラジル社に家宅捜索。 |
| | 12 | 麻薬特例法違反ほう助容疑で西村を書類送検。 |
| 2013 | 2 | ニワンゴ社の取締役を辞任。 |
| | 3 | 麻薬特例法違反ほう助容疑で不起訴。 |
| | 8 | 有料ビューワーの個人情報流出事件。これにより同ビジネスの収益化が困難に。 |

# 第3章 「日本解放第二期工作要綱」を解剖する
## ——2ちゃんねるが育んだ陰謀論

安田峰俊

近年の10年間は、世界中にスマートフォンやタブレット端末が普及し、人類がより容易にインターネット上の情報にアクセスできるようになった時代だった。ただ、その負の結果として、全世界的に進行した問題が陰謀論の隆盛だ。情報の批判的検討をおこなう能力が必ずしも高くない人々がTwitterなどのSNSやYouTubeをはじめとした動画サイトの不確かな情報に無防備に晒されるようになったことが、その背景にあることは想像に難くない。

なお、陰謀論それ自体は、ユダヤ陰謀論の事例を挙げるまでもなく、昔から存在した（1986年刊の宇野正美『ユダヤが解ると世界が見えてくる』（徳間書店）をはじめ、日本では前世紀末にオカルト的なユダヤ陰謀論ブームがあったことも強調しておこう）。

陰謀論の主体として選ばれやすいのは、まずその社会の内部における「弱者」やマイノリティだ。こちらは欧州におけるユダヤ人やロマ、日本における在日朝鮮人、中国におけるウイグル族などが代表的である。そしてもうひとつは「強者」やエスタブリッシュメントである。アメリカ政府（軍産複合体、ディープ・ステイトなどの変種も含む）やソ連、コミンテルン、ナチスなどが代表的だ。なかには「ユダヤ財閥」など、マイノリティ差別と強者への嫌悪感がない混ぜになった形で陰謀論の主役になる存在もいる。

そうした陰謀論業界において、近年、主役を射止めることが増えた新たなプレイヤーが中国だ。これは中国の経済発展や国際的台頭、アメリカをはじめとした西側諸国との外交的摩擦の拡大と軌を一にした現象である。新型コロナウイルスの起源は人民解放軍の生物兵器であるといった言説がその代表的なものだが、中国がらみの陰謀論はそれ以前からある。なかでも日本の場合、隣国・中国の脅威を他国に先んじて受けている関係からか、中国を主体とする陰謀論は特に多い。

本稿ではそのなかでも花形選手ともいえる『日本解放第二期工作要綱』（以下、『要綱』）について考察しよう。これは1972年に発見されたという、中国共産党の日本侵略計画を記した極秘文書であるとされる。先に書いてしまえば、これは2ちゃんねるのコピペを通じて拡散し、多くの人に事実であるかのようにとらえられてしまった、今世紀に入ってからの日本では最大級の陰謀論のもととなっている文書である。

## 「ファン」の多い怪文書

『要綱』は2017年にベストセラーとなったケント・ギルバートの著書『儒教に支配された中

国人と韓国人の悲劇』（講談社＋α新書）をはじめ、多くの保守系論者の著書やSNS、YouTubeチャンネルなどで繰り返し取り上げられてきた。

2009年にはなんと、当時は自民党に所属する衆議院議員だった小池百合子（現東京都知事）が、当時の民主党政権による事業仕分けを批判する文脈のなか、Twitterで「中共の『日本解放工作要綱』にならえば、事業仕分けは日本弱体化の強力な手段。カタルシスを発散させながら、日本沈没を加速させる…。」（2009年11月27日）とつぶやいた例すらもある（なお、日本におけるTwitterは2011年の東日本大震災の際にユーザー数が激増するまでは、アーリーアダプターが中心のSNSであり、この小池百合子のつぶやきは当時はほとんど「炎上」しなかった）。

当然、現在でもTwitterなどで『要綱』について検索すると一般人ユーザーによる大量の投稿が引っかかる。ファンが多い陰謀論だと言っていい。

文書の概要を以下にも記しておこう。

・日本を「解放」して、その「国力のすべて」を中国共産党の支配下に置き、党の世界解放戦に奉仕させるとの目的を記す。
・「日本解放」の第一段階は日中国交正常化、第二段階は日本に親中国的な民主連合政府を成立させること、第三段階は日本人民民主共和国を樹立して天皇を「戦犯の首魁」として処刑することである。
・具体的な工作内容は、日本人に中国への親近感を抱かせること、マスコミを籠絡すること、国会議員や与野党および政治団体に工作すること、在日華僑への工作を進めることなどである。

これが事実とすればなんとも恐るべき文書だが、どうか安心されたい。この恐るべき日本侵略計画の文書は、99・99パーセント以上の確率でニセモノである。以下に考察しよう。

## 仮に本物ならば不自然な発表経緯

私が考察の底本としたテキストは、『要綱』が世界で初めて公開された『國民新聞』昭和47（1972）年8月5日付（18458号）掲載の文書である。同号の記事によれば、中央学院大学教授だった西内雅（1903～1993）がこの年の7月に海外視察に出かけた際に『要綱』を入手したので、その全文（の日本語訳）を公開したとのことだ。

しかし、このテキストについては、以下の問題点が指摘できる。

1　作成時期から公開までの時間が短すぎる。
2　中国語原文が存在しない。
3　中国語を翻訳した文書としては不自然な表現が多い。
4　中国共産党の言説としては不自然な表現が多い。

まずは「1」について考えよう。『國民新聞』掲載の『要綱』の文中において、親中国的な「民主連合政府」を樹立することを主張した箇所の記述をご覧いただきたい。

田中内閣成立以降の日本解放（第二期）工作組の任務は、右の第二項、すなわち『民主連合政府の形勢』の準備工作を完成することにある。
（『要綱』「A 基本戦略・任務・手段、（二）解放工作組の任務」）

一九七二年七月の現況でいえば自民党の両院議員中、衆院では約六十名、参院では十余名を獲得して、在野党と同一行動を取らせるならば、野党連合政府は容易に実現する。
（『要綱』「B 工作主点の行動要領、（第三 政党工作）（一）連合政府は手段」）

有名な角福戦争に勝利した田中角栄が自民党総裁となり、衆議院において内閣総理大臣に指名されたのは1972年7月6日のことだ。ゆえに「田中内閣」という言葉を文中で用いている『要綱』の執筆時期は同月6日以降と考えて間違いない。文脈からして、1920年代に山東出兵をおこなった田中義一総理大臣の「田中内閣」を指していないことも明らかである。

いっぽう、西内雅が『國民新聞』紙上で述べるところによれば、彼が『要綱』の文書を入手したとする北東アジア旅行は「七月四日の南北朝鮮の統一に関する声明」が出る直前に出発、海外滞在期間は「三週間ほど」、行き先は沖縄・香港・台湾・韓国だったとされる。文書の入手元は「毛沢東の指令なり発想なり」を「専門的に分析している組織」だったそうである。

これらから判断すれば、西内雅が文書を入手した時期は1972年の7月6日〜25日ごろだ。また、西内雅が『國民新聞』紙上に談話を寄せたのは同年7月30日なので、この日までに文書は中国語から日本語に翻訳され、同紙上での掲載が決定した形になる。

西内雅は戦時中は皇国史観で鳴らした平泉学派の論者の一人で、和暦・暦法の研究者だった人物であり、他の著作を確認しても、すくなくとも1972年時点までは中国語が堪能だったようには見えない。

ゆえに『要綱』の内容が仮に本物であるとすれば、文書の入手から翻訳・掲載にいたったスケジュールは相当慌ただしい。文書提供者があらかじめ日本語に翻訳してくれていたのでもない限り、西内雅は帰国から5日以内のうちに原文を1万字以上の日本語に翻訳させ、それを『國民新聞』に売り込んで見開き2ページ以上の特集企画を組ませたことになるのだ。

しかも『國民新聞』の特集記事では西内雅のほかに2人の識者が長文の感想コメントを寄せている。彼らが『要綱』を下読みした時間も考慮すれば、文書の翻訳から掲載決定にいたる所要時間は実質的に3日もあればよいほうだろう。現在と違って中国語（しかも中国本土の簡体字）を理解できる人が少なく、またメールやＦＡＸで原稿を送ることもできなかった当時としては驚異的なスピードである。

もちろん、西内雅と『國民新聞』の周囲に優秀な人材が揃っており、奇跡的なスケジュール進行によって文書発表にこぎつけた可能性はゼロではない。文書が最初から日本語に訳された状態で提示されていたり、西内雅が中国語に堪能だったりした可能性についても、それを完全に否定できるような論拠があるとはいえない。

また、西内雅が秘書などを通じて文書だけをより早期に日本へ送ってもらっていたとすれば、文書が成立し得る最も早期の時期（田中内閣成立当日の1972年7月6日からほどない時期）から全文翻訳の掲載までは20日程度の時間があったことになる。それならば翻訳の時間は確保できただろう。

しかし、これらはあくまでも「日本側では一応可能」というだけの話だ。

視点を中国側に移した場合、当時の中国共産党は田中角栄内閣の成立が確定した1972年7月6日以降に大急ぎで「日本解放」の具体的な作戦方針を決定して、最重要クラスの極秘文書を書き上げたものの、一瞬で文書が流出して日本の民間人の手に渡るという大失態を犯したことになる。綿密な日本侵略計画を立てている割には杜撰すぎるだろう。

また、執筆からたった3週間足らずで海外に流出するほどいい加減な管理しかなされていなかった文書の中国語原文が、約50年後の現在まで発見・公開されていないことも不思議である。

中国語の検索エンジンで『要綱』について検索しても、中国大陸はもちろんのこと、中国政府の言論統制が及ばない台湾や香港のサイトにすら原文が掲載されていない。それどころか、『要綱』の話題それ自体がほとんどヒットしない。

## 大陸の中国語なのに縦書き

『國民新聞』に掲載された『要綱』は、仮に中国語の翻訳文であるとすると、中国語を直訳したとは思えない文章構造が多々見られるなど、不自然な表現が非常に多い。だが、ここではより分かりやすい例を端的に示そう。たとえば前出の田中内閣について記載した一文も、よく読むと奇妙な部分がある。

田中内閣成立以降の日本解放（第二期）工作組の任務は、右の第二項、すなわち『民主連合政府の形勢』の準備工作を完成することにある。

お気付きだろうか？　ここで指摘したいのは「右の第二項」という文言だ。
実は中国本土の中国語はほぼ横書きである。特に共産党関連の公的な文書は、横書き以外で書かれることはまず考えられない。「右の第二項」という表現は通常ありえないのである（「上の」「下の如く」といった書き方にしかならない）。
文中において前出である内容を「右の」と呼ぶ類似の表現は他にも複数ある。

B　右のほか、各党の役職者及び党内派閥の有力者については

（B　工作主点の行動要領、（第三　政党工作）（二）議員を個別に掌握）

右の接触線設置工作と並行して、議員及び秘書を対象とする、わが国への招待旅行を左のごとくおこなう

（B　工作主点の行動要領、（第三　政党工作）（三）招待旅行）

『要綱』は明らかに、縦書き表記の文章を書く習慣を持つ人間の手で書かれているのだ。縦書きの習慣は日本のほか台湾（ほか香港・韓国の一部）にもあり、また１９７０年代の中国であれば縦書きのほうを好む古い世代も残っていたかもしれないが、いずれにせよ党の日本侵略の方針を策定する機密文書について、そうした人物が文章の内容を考案・執筆する立場にいたとは考えにくい。

いっぽう、そうなった事情は詳しくは後述するが、現在の日本の右派の間で受容されている『要綱』テキストの底本は、１９７２年の『國民新聞』掲載記事そのものではない。Wikipedia記事「日本解放第二期工作要綱」から直リンクが貼られている『My Library Collection from the Internet』（http://yusan.sakura.ne.jp/library/china_kousaku/）という個人サイトに掲載された文章である（どうやら國民新聞社が21世紀になって自社サイト上に掲載した『要綱』をコピー・アンド・ペーストしたものと思われるが、来歴を明確には確認できない）。

こちらは横書きのインターネット文書であるためか、上記の「右の」（もしくは「左の如く」）に相当する当該部分が「上の」「下の如く」という表現に、特に断りもなく修正されている。だが、

一方で別の問題が生じている。それは以下のような記述がみられることだ。

日本の平和解放は、下の3段階を経て達成する。

イ　我が国との国交正常化（第一期工作の目標）
ロ　民主連合政府の形成（第二期工作の目標）
ハ　日本人民民主共和国の樹立・天皇を戦犯の首魁として処刑（第三期工作の目標）

中国共産党が、工作指令文書の段落番号を「イ、ロ、ハ」で書くわけがないだろう。
なお、『要綱』をネット空間のみならず（後述）一般の言論空間に持ち込むことになったケント・ギルバートのベストセラー『儒教に支配された中国人と韓国人の悲劇』は、どうやら『國民新聞』1972年掲載のオリジナル版ではなく、『My Library Collection from the Internet』に掲載されている（もしくは『2ちゃんねる』に転載された）『要綱』の文章をそのまま著書のなかに引用したらしく、「イ、ロ、ハ」表記がそのまま掲載されている。出版元である講談社の校閲担当者が何も言わなかったのか気になるところだ（ちなみに中国語での箇条書きは、「1、2、3」という数字やアルファベットのほかに「甲乙丙丁」も使われるが、これらはいずれも日本語の箇条書きでも用いられる表記だ。翻訳者がわざわざ「イ、ロ、ハ」式に訳しなおすことは考えにくい）。

## 「中共」は共産党か人民共和国か？

『要綱』では「わが党」「わが国」という表現が多用されている。中国語の原文（仮にあるとすればだが）の執筆者は中国共産党の内部に身を置く立場の中国人だろう。しかし、いっぽうで文中にはこんな表現がみられる。

好感、親近感をいだかせる目的は、わが党、わが国（中共）への警戒心を、無意識のうちに棄て去らせることにある。
（B　工作主点の行動要領、第一　群集心理の掌握戦）

一部の日本の反動極右分子が発する「中共を警戒せよ！　日本侵略の謀略をやっている」との呼びかけを一笑にふし
（同上）

ここで注意してほしいのは、『要綱』の執筆者が「わが国」（＝中華人民共和国）を「中共」と呼んでいることだ。

中国国内でも「中共」という単語は存在するが、これは中国共産党という「党」を指す略称であり、中華人民共和国という「国家」を指して用いることは絶対にない（「中共中央宣伝部」「中共中央総書記」などはいずれも、党の部署である「中国共産党中央宣伝部」、党のポストである「中国共産党中央委員会総書記」のことを指す）。

中華人民共和国という国家を「中共」と呼ぶのは、台湾の中華民国を正統政府であるとみなす当時の日本国内の用法だ。むしろ当時の中国（中華人民共和国）はこの呼称に強い不快感を示していた。

中国人や中共党員の言説としては違和感のある言葉遣いがなされている事例は他にもある。

第一歩は、日本人大衆がシナ大陸に対し
（B　工作主点の行動要領、第一　群集心理の掌握戦、（一展覧会・演劇・スポーツ））

1972年当時の中国人が、中国共産党の内部文書において自国の国土を「シナ大陸」と呼ぶことは絶対にありえない。「シナ」（支那）は本来、「China」を意味する価値中立的な単語だが、戦中期に日本からの他称として蔑視的な文脈で用いられることが多かったことで、大陸・台湾を問わず、戦後は中国語でこの単語を用いることは多くの場面においてタブーだ。

さらに「日本人大衆」という表記も中国語の翻訳文としては奇妙である。当時の中国ならば、おそらく日本の一般大衆については「日本人民」と書くはずであり、通常であれば「日本人民」は日本語訳がなされる場合でも表記はそのままである。

そもそも、1970年代の中国共産党の対日姿勢は、過去に「侵略戦争」を起こした「日本軍閥」の指導者たちと、一般民衆である「日本人民」を分け、後者と連帯する姿勢を基本方針としていた。『要綱』の論調にこうした要素がまったく見られないのも不自然である。

さらに、以下のような一節もある。

反面、スポーツに名をかりた「根性もの」と称される劇、映画、動画、または歴史劇、映画、歌謡、並に「ふるさとの歌祭り」等の郷土愛、民族一体感を呼び覚ますものは好ましくない

（B　工作主点の行動要領、（第三　政党工作）（一）連合政府は手段）

「根性もの」と「ふるさとの歌祭り」は、原文の中国語でどう書かれていたのだろうか？　他にも怪しい点は多いが、いちいち引用するときりがないので以下に箇条書きで示そう。

・当時の中国と敵対していたソ連の覇権主義に反対する言説がほとんどない。
・当時の中国共産党が論争中だった日本共産党への批判や言及がほとんどない。
・当時の中国ではごく限られた局面でしか用いられなかった「極左」という表現が出てくる。
・毛沢東晩年の中国の文書ではしばしば使われた「プロレタリア文化大革命の偉大なる勝利」や「偉大なる領袖毛主席」などの決まり文句がほとんど出てこない。

・日本の右翼団体については東京都内の各団体数まで細かく知っているほど記述が詳しいにもかかわらず、当時の日本で勢いがあったはずの毛沢東主義の新左翼セクトや親中派市民団体（日中友好協会など）への言及がほとんどない。

総じて言えば、『要綱』の文章は日本国内のものごとについては右翼団体の数からＴＶドラマのジャンルに至るまで異常に詳しいのだが、執筆者の中国共産党員にとってより身近な「敵」や「味方」であるはずのソ連や日本共産党、日本国内の左翼・新左翼勢力、中国共産党のイデオロギーなどについては異常なほど無知なのである。

『要綱』は日本人（おそらく西内雅本人）が、最初から日本語で記した偽作の文書であり、中国語の原文も「日本解放」の陰謀も存在しないと考えるのが妥当であろう。

『要綱』におどろおどろしく記された、中国共産党の対日侵略計画なるものは、ユダヤ人の世界侵略計画とされる『シオン賢者の議定書』や、大日本帝国の中国侵略計画として戦時下の中華圏や欧米で流布された『田中上奏文』と同種の陰謀論の文書とみていい。

なお、『要綱』、『シオン賢者の議定書』、『田中上奏文』の偽書3書はいずれも、外国語での翻訳版しか知られておらず、原文がこの世に存在しないという共通点がある。

## 怪しい文書はなぜ今世紀に復活したか

『要綱』を掲載した『國民新聞』というメディアについても考察しておこう。

同紙は徳富蘇峰の創刊とされるが、徳富が1890年に創刊した『國民新聞』は、戦時中の1942年に『都新聞』と合併して『東京新聞』となり消滅している。『要綱』を掲載した『國民新聞』は、1966年に〝復刊〟したものとされ、紙面上でも徳富蘇峰創刊紙の後継を自称しているのだが、往年の徳富版『國民新聞』とは組織も人材も資金もほとんど連続性がない。

国会図書館でバックナンバーを確認すると、『國民新聞』は1966年の〝復刊〟号に「大御心」という、当時としても大時代的な表現があり、2000年になっても天皇陛下を「聖上」と表記。また、インターネットアーカイブで同紙公式サイト（すでに消滅）から2012年1月25日号の見出しを見ると「大内山に聖寿万歳轟く」「竹の園生のいやさかを」とある。一見、『國民新聞』という一般名詞的な紙名に惑わされがちだが、同紙の実態は特殊な業界向けの専門新聞（右翼・保守派の政治機関紙）である。

また、1972年に『要綱』を入手したと主張する西内雅が、皇国思想で知られた人物であったことはすでに述べた。彼は『要綱』の入手・発表と同年に蔣介石の戦時中の演説を収録した小冊子『敵か？友か？』（國民新聞社）の解題を書いているほか、『國民新聞』紙上にしばしば蔣介石や中華民国を賛美する言説を寄せている（他に『国魂――愛国百人一首の解説』や『大東亜戦争の終局――昭和天皇の聖業』（ともに錦正社）などの著書もある）。

『要綱』は本来、特殊な掲載媒体において、限られた層の読者に向けて提供された「トバシ」と呼んでいい記事だったのだ。あえて卑近な例え話で説明するならば、仮に『東京スポーツ』に「大仁田厚、有刺鉄線バットで襲撃される」といったプロレス舞台裏記事が掲載されても誰も本気で心配をしたり警察に通報したりはしないように、一種の〝ファン同士のお約束〟の文脈内で共有されるネタに近い情報だった。日中国交正常化を控えた当時、時局に強い不満を持つ右翼や親中華民国派の人たちは、たとえウソを承知であっても、気持ちのいい「トバシ」情報で溜飲を下げたかったのではないだろうか。

事実、『要綱』は発表当時はほとんど話題にならず、その後もながらく歴史に埋もれてきた。やがて1972年8月には西内雅『中共が工作員に指示した「日本解放」の秘密指令』が刊行され、翌1973年には続編『中共が工作員に指示した「日本解放」の新秘密指令』（ともに國民新聞社編）が刊行されたが、いずれも現在までまったく注目されていない。

文書発表の6年後に毛沢東や周恩来が死に、1970年代を通しては中国が対ソ連戦略から日本に接近を進め、やがて日中蜜月時代と天安門事件とソ連崩壊があり、21世紀に入り中国が豊かになり北京五輪を成功させるも、いっぽうで日中関係は冷却化して中国が台頭し、新型コロナウイルスのパンデミックが起き……。と、すでに日本も中国も国際情勢も大きく変わった。1972年時点で作られた粗雑なデマが、何の現代的意味も持ち得ないことは明らかだろう。

——では、発表当時はほとんど注目されず、いったんは忘れ去られたはずの1972年の偽文書が、なぜ遠い未来の21世紀になって、小池百合子のTwitterアカウントで紹介されたりケント・ギルバートのベストセラー書籍で紹介されるようになったのか？

背景にあるのはインターネットの普及だ。

『要綱』は2002年に『動向』というマイナー雑誌（発行元が國民新聞社と同住所）に再掲載され、やがて國民新聞社の公式サイト（現在は閉鎖）に多少の文言を修正したうえで掲載された。この公式サイト版の文書が、『2ちゃんねる』（2017年5月以降は『5ちゃんねる』）や『My Library Collection from the Internet』などにコピー・アンド・ペーストによって転載され、徐々に拡散していったようなのである。

2002〜2004年ごろから現在までの、『2ちゃんねる』『5ちゃんねる』の過去ログを収集・保存している『ログ速』というサイトがある。このログ速で「日本解放第二期工作要綱」について検索すると、私が確認した範囲の最古の書込みは2005年5月3日に「共産党」板の某スレッドに貼られた『國民新聞』ホームページのリンクだ（本書の校閲段階で、2002年の書き込みも発見された）。

さておき、書き込みがある程度盛んになるのは2008年ごろからだ。この時期の『2ちゃんねる』で盛り上がっていたフリーチベットブームと嫌中国ブーム（2008年のフリーチベット運動については本書1章の対談を参照）を受けて、『要綱』の具体的な内容がコピペ的にスレッドに貼り付けられはじめたのである。

当時、『2ちゃんねる』では右翼・保守系団体の関係者ともみられる人たちが彼らの主張に近い内容のコピペをバラ撒く行為がしばしば見られ、こちらの拡散もおそらく同様の背景があったのではないかと思われる。

【目覚め】中国によるアジア、日本乗っ取り計画
https://www.youtube.com/watch?v=
【驚愕の事実！】中国が本気で日本乗っ取りを開始！！！　中国共産党、在日中国人に日本帰化命令ｷﾀ‼　日本帰化申請についてとんでもない情報が流出！！！！
https://www.youtube.com/watch?v=
【緊急拡散】中国と共産党が日本でクーデターを計画！！！
「民主連合政府」樹立計画の全貌がヤ　バ　す　ぎ　る！！！
重要文書「日本解放第二期要綱」を広めよう！！！
http://www.news-us.jp/article/
中国に乗っ取られた北海道の地名が北海省に変更される可能性！！！！　北海道の土地の殆どが中国に買い占められる異常事態！！！！
http://asianews2ch.jp/archives/
通名を使って日本人を騙す悪徳支那工作員
https://www.youtube.com/watch?v=
天安門事件（動画）←★必見だよ！
https://www.youtube.com/results?search_query=

●注　在日特権を守るために安倍氏と桜井誠氏を叩いてるコシミズ親子三人（支那工作員・不法滞在者・不正受給者・通名者）を潰す事
　　リチャード・コシミズ支那工作員はよく知ってるよ
　　by 元独立党会員
　　http://www.news-us.jp/article/

**図１**　『要綱』のコピペ掲載の例

## まとめブログとYouTubeと陰謀論

その後、『2ちゃんねる』では『要綱』のコピペ掲載が散発的におこなわれる状態が続いた。ところが、なぜか2016年ごろからは、あちこちのスレッドに図1のような文章が数多く貼り付けられるようになった。

URLのリンク先は、ネット右翼向けの排外主義的な記事を多数掲載していた政治系のまとめブログ『News U. S.』や『あじあにゅーす2ちゃんねる』、YouTubeチャンネルだ。

これらのサイトやYouTubeチャンネルの多くについては、運営の目的は右翼・保守的な言説を広めることそれ自体ではなく、扇情的な見出しを掲げてアクセスを稼ぐ商業主義的な側面が強そうに見える（なお、2021年8月現在は上記リンク先の大部分の記事やチャンネルが削除され、『あじあにゅーす2ちゃんねる』についてはサイトのコンセプト自体が変更されて韓流芸能人情報サイトになっている）。

なお、まとめブログとは、私の観測範囲で論じればゼロ年代なかばごろからウェブ上に登場したブログ形式のコンテンツだ。当初は『2ちゃんねる』（5ちゃんねる）のスレッド、やがて2ちゃんねるが衰退するとTwitterやYahoo!ニュースのコメント欄など、外部のプラットフォームに書込まれた意見をブログ上に転載して、ブログ編集者が強調したい箇所の文字のフォントを大きくしたり色を付けたりして強調することで記事を作る。

まとめブログは当初、個人の趣味で運営されているサイトも多かった（他ならぬ私自身、かつて中国の大規模掲示板『百度貼吧』を、当時の『2ちゃんねる』で用いられていたスラングを使って翻訳して解説を付した記事をメインコンテンツとするブログを運営しており、このブログが人気になったことで書籍デビューしている）。

だが、私が観測した範囲ではゼロ年代末から商業主義的なブログが増えていき、やがて一定のアクセスを見込めるためか、扇情的なネトウヨ系のまとめブログが増加するようになった。その最大手は『保守速報』で、2014年11月24日には安倍晋三首相（当時）の公式フェイスブックページが同サイトの記事をシェアしたことでも話題となった（その後ほどなく、安倍晋三公式フェイスブックから当該の投稿は削除されている）。

『要綱』の紹介記事をアップした『News U. S.』も、保守速報に次ぐ知名度を持つネトウヨ系まとめブログだった。当時の『News U. S.』は副題に「中国・韓国・在日崩壊ニュース」というネトウヨへの訴求力が高いワードを散りばめ、『2ちゃんねる』に大量にリンクを貼り付ける（コピペ爆撃）などサイトのアクセスアップに熱心であり、結果として多くのネトウヨ系読者を集めていたとみられることから、『要綱』の内容はいっそう世間に広がっていった。

2022年現在、オンラインにおけるフェイク・ニュースや陰謀論の最大の発信元は（多分に商業目的のものも多いと思われる）YouTubeのチャンネルだが、2010年代の日本国内のウェブ空間における不確かで扇情的な情報の発信源は、まとめブログだったと考えてよい（2017年、特定の弁護士に対する大量の懲戒請求をブログ閲覧者たちに呼びかけて社会問題となったブログ『余命三年時事日記』も、まとめブログには該当しないにせよ、近い立ち位置のウェブサイトだった）。

さておき、１９７２年に日中国交正常化に憤った古い世代の右翼たちが、ほぼ仲間内の機関紙のような『國民新聞』紙上に掲載した「与太話」と言っていい陰謀論文書『日本解放第二期工作要綱』は、21世紀になり『國民新聞』がウェブサイト上に過去記事を掲載したことで徐々に拡散。やがてまとめサイトがこれを紹介し、ネット右翼たちの間で広く「常識」として定着したことで、ついに国会議員が信じ込んだりベストセラー本で真面目に紹介されたりするほどの市民権を得てしまったわけである。


最後に念のため書いておけば、現代の中国は日本を含めた世界各国をターゲットにした統一戦線工作の実施やプロパガンダによる情報工作といった、各種各様の謀略を検討し、なかには実行に移しているものもある。特に米中関係が緊張した２０１８年ごろから、中国のこうした姿勢は西側諸国の強い懸念を招くようになり、その実態が広く報じられるようになった。

ゆえに、中国の各種の工作活動を警戒する姿勢自体はなんら間違いではない。だが、それだからと言って明らかなニセ文書をまことしやかに紹介し、積極的に拡散する行為が許されるわけでもない。

事実としての脅威を前に、対象のリスクを過大・過小評価するデマを流布する行為の罪深さは、２０２０年以来のコロナ禍のなかで症状やワクチンに関係した各種のデマに悩まされた私たち自身が、なによりも身をもって理解しているはずだろう。

# 第4章 Jアノンと路上デモ
## ――日本の宗教団体とQアノン的陰謀論の歪みと交錯

藤倉善郎

### 執拗に繰り返されるJアノンデモ

「腐りきったマスコミに持ち上げられ、バイデン側は、大統領ごっこを楽しむのも今のうちでしょう。不正選挙の真相を明らかにするため、トランプ大統領は今週から本格的に動き始めています！」

「中国共産党を終焉させることができるリーダーはトランプ大統領しかいません。トランプ大統領、左派勢力に囲まれ、左派メディアによる妨害や攻撃を受けながら、どんなに叩かれても叩かれても、あなたは必ず奇跡的逆転勝利を成すに違いありません。神様があなたを見守り導いてくださるからです！」

2020年11月12日。東京・霞が関の首相官邸前で開かれた、トランプ支持集会での演説だ。

これに先立つ11月3日に、アメリカでは大統領選挙の一般投票が行われ、過半数の選挙人を獲得したバイデンの勝利が事実上確定していた。

これに対して、首相官邸前に立った12人のグループは、「STOP STEAL（票を盗むのをやめろ）」などのプラカードを掲げて、選挙で不正が行われたと主張した。

この集団は「トランプ大統領を支援する会」「日米同盟強化有志連合」「自由と人権を守る日米韓協議会」の3団体。彼らは大統領選投票前から同じ場所で2週間おきにトランプ支持の集会を繰り返してきた。後述するが、統一教会（現・世界平和統一家庭連合）の分派である日本サンクチュアリ協会（サンクチュアリ教会）との関わりが深い一群である。

アメリカでトランプを支持する「Qアノン」が注目される一方、日本でも類似の主張を掲げてデモや集会を開く集団が現れた。特に大統領選の一般投票前後に日本で注目を浴びたこれらは、日本のネット上で「Jアノン」とも呼ばれた。

前述の首相官邸前集会から約2週間後の11月25日。今度は幸福の科学信者たちがトランプ応援のデモを開催。目算で300人ほどが東京の日比谷から銀座にかけて練り歩いた。

「トランプ大統領再選を応援しよう！」
「アメリカ大統領選の不正選挙は民主主義の崩壊だ！」
「トランプ大統領は立派な大統領だ！」
「日本もトランプ大統領とともに世界の繁栄を目指そう！」

トランプ氏の顔を模したマスクをかぶったトランプ・コスプレの男性がラジカセでヴィレッジ・

ピープルの「Y.M.C.A.」をかけながら踊っていた。ゲイをテーマとした曲だが、トランプ大統領はLGBTの権利の実現には逆行する立場。しかしアメリカのトランプ陣営の集会でも「Y.M.C.A.」が使用されており、作詞者でリードボーカルのビクター・ウィリス氏が英BBCを通じて、楽曲の使用をやめるよう求めた、いわくつきの曲だ。

このデモの主催は「TRUMP SUPPORTER IN JAPAN」と「チェンジジャパン」。これも後述するが、主だった関係者は幸福の科学の本部職員、幸福実現党役員、一般信者などである。デモ終了後には、幸福の科学の本部職員である与国秀行氏が、数寄屋橋交差点付近で演説を行った。

「私達日本人、あるいはアメリカの人々が戦っているのは、まさに最後の聖戦であることを知っていただきたいんです。コロナの問題もあります。この闘いから逃げることはもう誰にもできない。マスクをしてコロナと闘うか、違った角度からコロナと闘うか。様々な闘いはあれども、コロナとの闘いからもはや人類は逃げることはできない。そしてそういった中で、アメリカでトランプが今ディープ・ステートと闘っている。私達日本人もまた闘わなければならないときに来ています。」

デモの終着地点で、主催者とは別の団体の関係者と思しき人物が主催者に声をかけていた。

「29日のデモにこののぼり持ってきてよ」

そう。この4日後にもJアノンのデモが開催されたのだ。

今度は日比谷から丸の内まで。目算で1000人以上はいようかという、私が現地取材した中では最大規模ものだった。主催者は「トランプ大統領再選支持集会・デモ実行委員会」。

冒頭の首相官邸前集会の関係者も参加していた。前述の幸福の科学信者たちのデモで使われたのぼりもあった。幸福の科学デモに参加していた、「Y. M. C. A.」で踊るトランプ・マスクの男性もいた。

新約聖書の言葉を印刷した横断幕を持つ一群もいた。理由を尋ねると、「聖書にトランプという言葉が登場している。トランプの登場が聖書で預言されていたので、その部分を引用しています。」という。横断幕にはこう書かれていた。

主ご自身が天使のかしらの声と神のラッパの鳴り響くうちに、合図の声で、天から下ってこられる。その時、キリストにあって死んだ人々が、まず最初によみがえり…（「テサロニケ4章16節」）

神のラッパ（the Trump of God）がトランプ大統領のことだという。聖書の黙示録では、「神のラッパ」は人類滅亡（天変地異）の合図のことなのだが。どこかの宗教団体なのかと尋ねても、「主催者に渡されただけなので詳しいことはわからない」との返事だった。

中国からアメリカに亡命した実業家・郭文貴（グオウエングイ）氏がトランプ氏の元側近スティーブン・バノン氏とともに設立した「新中国連邦」の旗を掲げる一群もいた。デモの周囲では、中国当局から弾圧されてきた団体である法輪功が新聞を撒き、また法輪功系メディア『大紀元時報』がデモを映像で取材していた。デモ参加者の少なくとも1～2割、もしかしたらそれ以上が中国系ではないかと思えるほど、あちこちで中国語が飛び交っていた。

新中国連邦や法輪功は中国人を中心とした勢力で、「Jアノン」と呼ぶには語弊がある。安田峰俊氏が言う「Cアノン」が適切かもしれない。しかし、いずれにせよ、日本の路上でデモを繰り返す人々がJアノンとして認識されたのは、一部Cアノンも含む、こうした人々の集合体である。他にも南ベトナム旗を持つ人、韓国旗を掲げる人もいた。日頃、外国人に対するヘイトスピーチ街宣を行っている活動家の姿もあり、とにかく多彩だった。


「アメリカ大統領選挙は善と悪の闘いだ！」

「闘いはこれからだ！」

「不正選挙は民主主義を破壊する重大犯罪だ」

「中国の驚異から日本とアジアを守ろう！」

「Take down CCP」（中国共産党を倒せ）

「We Love Trump!」

「Make America great again!」（偉大なアメリカを再び）

「Make Japan great again!」（偉大な日本を再び）

かなり「反中国」の色合いが強い。まとめるなら、トランプ再選によって復活した偉大なアメリカこそが中国という脅威を打ち倒すのだ、という文脈である。

Jアノンの路上活動は、まだまだ終わらなかった。約1カ月後の12月20日には、「トランプ大統領再選支持集会・デモ実行委員会」が今度は大阪でデモ行進。同23日には「TRUMP SUPPORTER IN JAPAN」「チェンジジャパン」（幸福の科学系）がまた日比谷から銀座を行進した。

### 表1　トランプ氏を支持する主な集会やデモ（2020年11月以降）

| 日付等 | 場所 | タイトル | 主催・共催・協賛等（カッコ内は関連が推測される団体） | 参加が確認できた主な勢力・関係者 |
|---|---|---|---|---|
| 隔週木曜 | 首相官邸前 | 首相官邸前・定例集会 | トランプ大統領を支援する会（サンクチュアリ協会）、日米同盟強化有志連合（同）、自由と人権を守る日米韓協議会（同） | サンクチュアリ協会、ヘイトスピーチ活動家 |
| 11月25日 | 日比谷～銀座 | SUPPORT TRUMP FROM JAPAN 1125 | TRUMP SUPPORTER IN JAPAN（幸福の科学）、チェンジジャパン（同） | 幸福の科学 |
| 11月29日 | 日比谷～銀座 | 「トランプ大統領再選支持」集会・デモ in Tokyo | トランプ大統領再選支持集会・デモ実行委員会 | サンクチュアリ協会、幸福の科学、法輪功、新中国連邦、ヘイトスピーチ活動家 |
| 12月20日 | 大阪 | 「トランプ大統領再選支持」集会・デモ in Osaka | トランプ大統領再選支持集会・デモ実行委員会 | サンクチュアリ協会、幸福の科学 |
| 12月23日 | 日比谷～銀座 | SUPPORT TRUMP FROM JAPAN 1223 | TRUMP SUPPORTER IN JAPAN（幸福の科学）、チェンジジャパン（幸福の科学） | 幸福の科学、法輪功、ヘイトスピーチ活動家 |
| 12月24日 | 首相官邸前 | トランプ大統領再選勝利のためのクリスマス集会 | トランプ大統領を支援する会（サンクチュアリ協会） | サンクチュアリ協会 |
| 12月27日 | 名古屋 | トランプ大統領応援 WITH SAIVIOR デモ | 不滅の正義を守る会（幸福の科学）、トランプ大統領応援サポーター in Japan（TRUMP SUPPORTER IN JAPAN、幸福の科学）、チェンジジャパン（幸福の科学） | 幸福の科学、サンクチュアリ協会 |
| 1月6日 | 虎ノ門・米国大使館前 | Fight for TRUMP | トランプ大統領を支援する会（サンクチュアリ協会） | サンクチュアリ協会 |
| 1月6日 | 日比谷～銀座 | SUPPORT TRUMP FROM JAPAN 0106 | TRUMP SUPPORTER IN JAPAN（幸福の科学）、チェンジジャパン（幸福の科学）、トランプ大統領再選支持集会・デモ実行委員会 | サンクチュアリ協会、幸福の科学、法輪功、ヘイトスピーチ活動家 |
| 1月14日 | 虎ノ門・米国大使館前 | Fight for TRUMP | トランプ大統領を支援する会（サンクチュアリ協会） | サンクチュアリ協会 |
| 1月17日 | 福岡 | 「トランプ大統領支援デモ行進」in 福岡大会 | 日本の自由と平和を守る会福岡（サンクチュアリ協会）、トランプ大統領再選支持集会・デモ実行委員会 | サンクチュアリ協会、Qアノン |
| 1月20日 | 銀座 | トランプ大統領応援・東京デモ行進 | トランプ大統領を支援する会（サンクチュアリ協会） | サンクチュアリ協会 |
| 1月28日 | 虎ノ門・米国大使館前 | REMEMBER THE 1776 定例集会 | 米国愛国者を支援する会（サンクチュアリ協会） | サンクチュアリ協会 |

翌24日には「トランプ大統領を支援する会」（サンクチュアリ協会系）が首相官邸前でトランプ再選を願う「クリスマス集会」。同27日には名古屋で、幸福の科学系のデモが行われ、年が明けて1月に入っても繰り返された。

アメリカ連邦議会でバイデンの勝利が確定する見通しとなった2021年1月6日。アメリカではQアノン信者を含むトランプ支持者らが議事堂を襲撃し死者を出す事件が起こった。これに先立つ日本時間の同日夜には、前述のサンクチュアリ教会系と幸福の科学系が日比谷でデモを共催した。700人か800人か、1000人には満たないにしてもそれに近い数の参加者を集めた。

こうして、前年の11月から2021年1月末までの間に、Jアノンデモは少なくとも12回も繰り返された（表1）。

## ネット上に広がる日本版Qアノン

2017年にアメリカの匿名掲示板「4chan」から始まったQアノンのムーブメントは、ネットを介して2019年頃には日本にも伝播した。やがてアメリカ大統領選をめぐって20年から21年初頭にかけて盛り上がったのが、前述の一連のデモ活動だ。

しかしQアノンは、そのままの形で日本に輸入されたわけではない。日本の特有の政治背景や、運動に身を投じる人々のバックグラウンドを受けて、日本独自の多様性を帯びていった。さながら、仏教やキリスト教が世界宗教化する過程で各地の土着信仰と融合した歴史を繰り返すかのような光景だ。

日本におけるQアノンの先駆け的な存在と言えるのが、「Q Army Japan Flynn」という団体だ。公式サイトによれば、19年1月に「米Q情報軍特殊部隊のEri」という日本人を名乗る人物がツイッターでの発信を開始し、同年6月に「Q Army Japan」を設立（9月にQ Army Japan Flynnに改称）とある。このEri氏が、Qのメッセージをまとめた「Qマップ」「Qドロップ」を日本語に翻訳する作業を担当したようだ。QAJFは自サイトで、こう謳い、Qのメッセージを日本語で発信する活動を展開した。

> 2019年6月上旬に発足した日本のQアノングループです。Qの情報を拡散することで、愛だけで回る社会を目指しています。

2021年6月末時点で、「隊員」数130人と謳う。日本語での発信媒体はツイッターやユーチューブ。前述のデモはQAJFのものではないが、デモを撮影しネットで流していた者もいたようだ。

日本においては、おそらく最も原形のQアノンに近い存在だろう。しかしツイッターやユーチューブ等の投稿やアカウントは次々と削除・凍結され、大統領選でのトランプの敗北も確定。Qを名乗る人物による新たなメッセージの発信もなくなったことで、日本語への翻訳活動もなくなる。それでもQAJFは本稿執筆時点での22年11月も活動を続けており、Eri氏はテレグラムで海外ニユース等を紹介しながら、アメリカ民主党関係者や要人の「幼児性愛」や「新型コロナウイルスは存在しない」という類いの、従来同様の陰謀論を主張し続けている。

一方、22年初頭から反ワクチン・反マスク運動集団「神真都（やまと）Ｑ」が台頭すると、ＱＡＪＦはこんなメッセージをウェブサイトに掲載した。

> 最近、〝Ｑ〟という文字を表記したデモ活動を予定している団体が見受けられます。
> ＱＡＪＦは、デモをはじめとする社会運動団体とは一切関係ありません。
> デモを行う団体によっては、その背後にＤＳ側の組織が関わっていることも考えられますのでＱＡＪＦはデモへの参加をお勧めしません。

文中の「ＤＳ」とはディープ・ステートのことだ。

後述するが、神真都Ｑも「トランプ大統領から承認された世界17億人のＱ」の日本グループを自称している。しかしＱＡＪＦの目からは、神真都Ｑがディープ・ステートのフロント活動である可能性もあると映っているようだ。

日本のＱアノン・ムーブメントでは、互いに他団体や人物を陰謀の尖兵とみなす「内ゲバ」がしばしば見られる。ＱＡＪＦやＥｒｉ氏に対しても、ネット上で「初期メンバーを追い出してＱＡＪＦを乗っ取り、Ｑアノンをビジネスとして利用する勢力で、その背後に創価学会がいる」という趣旨で非難する陰謀論者がいる。

もともとＱＡＪＦ自身にも、創価学会が敵対者に「集団ストーカー」行為をしているとか、その創価学会をＣＩＡが裏から操っているなどとする類いの陰謀論者が流入していた。ＱＡＪＦ自身もその批判者も、似たような世界観を持っている。しかし何かの理由で敵対関係が生じると、陰謀論者は陰謀論によって他の陰謀論者を攻撃する。何とも皮肉な陰謀論ループだ。

## 統一教会と分派のＪアノン路線

日本のＱアノン的な集団は、前述したようにネット上では「Ｊアノン」とも呼ばれる。その中心は、冒頭で紹介したデモの主であるサンクチュアリ教会や幸福の科学だ。米大統領選前後、頻繁に路上デモを繰り返した主要勢力として最も目立った存在だった。そのため、当時「Ｊアノン」という総称があてられた。

ネット上で発生した総称なので、ＪアノンにＱＡＪＦを含めるべきか否か等、明確な定義や線引きはない。とは言え、これら宗教系の運動は「Ｑ」を自称しておらず、その主張はＱＡＪＦに比べて遥かに強い日本特有の色を帯びていた。ここではさしあたって、これら独自色の強い一群を「Ｊアノン」と捉えたい。

ＪアノンはＱＡＪＦの登場から約1年遅れて台頭した。

冒頭で紹介した首相官邸前での集会の主催者は、「トランプ大統領を支援する会」「日米同盟強化有志連合」「自由と人権を守る日米韓協議会」の3団体。路上での活動以外の実態は不明だが、各団体に日本サンクチュアリ協会の関係者が関わっている。中でも「自由と人権を守る日米韓協議会」には、日本サンクチュアリ協会の会長・江利川安栄氏が関わっている。統一教会の日本支部に当たる日本統一教会で、かつて第7代会長を務めた人物だ。

２０２０年11月29日に銀座で、12月20日に大阪で、それぞれデモを主催した「トランプ米大統領再選支持集会・デモ実行委員会」。この団体と前述の３団体の関係ははっきりしないが、デモのチラシのデザインが似ていることなどから推察するに、関連団体かもしくは支援者が重なっているように見える。

前述の３団体のうちの１つ「トランプ大統領を支援する会」の事務局長・小林直太氏も日本サンクチュアリ協会の関係者。統一教会信者だった２０１１年にはさいたま市議会議員選挙に立候補し落選した人物だ。彼は繰り返し「トランプ米大統領再選支持集会・デモ実行委員会」によるデモにも参加し、事前告知や参加レポートを自身のフェイスブックに投稿している。

２０２１年1月17日に福岡でもデモが行われたが、こちらは「日本の自由と平和を守る会　福岡」が主催で「トランプ米大統領再選支持集会・デモ実行委員会」が協賛。チラシに記載された主催者の代表者は、福岡県にある「九州有明サンクチュアリ教会」の教会長・松本昌昭氏と同姓。連絡先電話番号は日本サンクチュアリ協会のウェブサイトに掲載されている同教会の番号と同じだった。

各団体がサンクチュアリ教会と完全にイコールなのか、あるいは関係者や信者以外の活動家などと連携した混合部隊なのかはわからない。サンクチュアリ教会がもともと属していた統一教会は、古くから関連団体「国際勝共連合」等を通じて日本の保守活動家たちと連携し人脈を作ってきた。サンクチュアリ教会も統一教会時代の人脈や実績を活かして外部の保守活動家と連携していると見るのが自然だろう。

サンクチュアリ教会が統一教会から分派したのは２０１５年。教祖・文鮮明（ムンソンミョン）の死去後に教団内で起こった後継者争いの影響で、鮮明を教祖、７男・亨進（ヒョンジン）氏を直接の指導者として設立された。日本では宗教法人ではなく一般社団法人「日本サンクチュアリ協会」が正式名称で、法人設立は２０１６年である。

彼らの「アノンぶり」は、むしろ本拠を置くアメリカでの活動の方が活発だ。日本サンクチュアリ協会の活動はアメリカ本部の動きに呼応したものと捉えて良さそうだ。

公式サイトによると、アメリカペンシルベニア州に本部を置き、現地では「サンクチュアリ教会(Sanctuary Church)」と名乗っている。指導者である亨進氏もアメリカで活動している。

Ｑアノンによる前述の議事堂襲撃事件の直前には議事堂前の広場で抗議集会が開かれており、亨進氏は自らその集会に参加。襲撃には加わっていなかったようだが、混乱する現場の様子をユーチューブで公開している。

アメリカのサンクチュアリ教会は、銃を持つ権利を主張する団体としても知られる。銃を聖書に登場する「鉄の杖」として宗教的に神聖なものとすら捉えている。

２０１８年3月2日には『ワシントン・ポスト』が、同年2月末にサンクチュアリ教会の合同結婚式の様子を伝えた。参列者たちはライフル銃「ＡＲ15」などを持ち、銃弾をつなげて作った冠をかぶる者もいた。

私とともにカルト問題専門のニュースサイト「やや日刊カルト新聞」を運営し、統一教会問題や反ワクチン問題を取材しているジャーナリストの鈴木エイト氏は、サンクチュアリ教会と銃の関係をこう語る。

「統一教会は多くのグループ企業を擁しており、その中には銃メーカーもあります。もともと文鮮明も銃が好きで、彼の存命中から統一教会は開発や販売を手掛けてきた。日本にも古くから統一教会系の銃砲店があります。文鮮明の死後、妻・韓鶴子(ハンハクジャ)と子どもたちの間で後継者争いが起こり、韓が後継者として実権を握りました。一方で、文と韓の間に生まれた14人の子ども（3人はすでに死去）のうち4男の文国進(ムンクッチン)が銃メーカーのカーアームズ社を受け継ぎました。彼が、分派してサンクチュアリ教会の指導者となった7男の亨進を経済的に支援しています。もともと統一教会に銃を崇拝する教義があったわけではないのですが、こうした背景もあってサンクチュアリ教会の銃マニアぶりが加速した。アメリカにおける銃を持つ権利を主張したり、大統領選で不正があったと主張して武装闘争を連想させるようなメッセージを発信したりもしています。宗教的な教えとは少し違う印象はあるものの、サンクチュアリ教会の重要な思想として、ある種の教義のようなものになっているように見えます。」

本家の統一教会も、もともと反共産主義という点でQ・Jアノンとの親和性がある。

統一教会は1960年代に日本で「国際勝共連合」を設立し、反共運動を展開してきた。対日本共産党は言うまでもなく、中国や北朝鮮についても共産主義国家である点を批判し続けている。教団のグループ企業が北朝鮮に進出し自動車製造や観光開発等の事業を展開している一方で、日本やアメリカでは反共産国家を旗印に保守運動や保守的な政治権力に食い込む。そんな立ち回りを見せてきた。

統一教会系のメディアである「世界日報」は、たとえば大統領選でトランプ氏が当選を確実とした２０１６年より前の２０１４年に、〈天安門25年、中国共産党独裁に未来はない〉とする社説を掲載している。２０２０年1月には、やはり統一教会系英字メディアである「ワシントン・タイムズ」が、新型コロナウイルスの起源について中国の生物兵器研究に関係しているとする記事をネット配信。11月には世界日報が、〈バイデン氏　不正の疑い拭えぬ「勝利」〉と題する記事をネット配信。ワシントン・タイムズに掲載された記事の日本語訳として〈バイデン氏息子　中国から巨額資金〉という記事も配信し、トランプの政敵への批判も行っている。

特にワシントン・タイムズは、コロナ関連や大統領選関連ではフェイクニュースの発信源の１つとして扱われることもある。しかし世界日報はお構いなしに、バイデンが大統領に就任して以降も、こまめにトランプの動向や発言を紹介している。

「トランプ支持、反中国という点で、統一教会はＱアノンやサンクチュアリ教会と向いている方向は同じです。ただ、関係者がネット上で過激なパフォーマンスを見せたり、路上でトランプ支持のデモ活動をしたりした話は聞きません。日本の統一教会は勝共連合の傘下に勝共ＵＮＩＴＥという青年組織を擁しており、安倍晋三が首相だった頃には安倍を応援するデモや街宣も行っていました。しかしトランプに関してそういった表だった動きはない。彼らは彼らなりに、世間から過激と見られたり奇異に捉えられたりする活動を避けたがる傾向があるので、そういう理由かもしれません。逆にサンクチュアリ教会は、銃愛好集団という側面も含めて、独自路線を隠すことなく突っ走っています。」（前出の鈴木氏）

２０２１年５月28日に『Ｖｉｃｅ』が、サンクチュアリ教会がテキサス州に40エーカー（約16ヘクタール）のキャンプ場を購入したと報じた。記事は、亨進氏が信者に大統領選の不正を訴え「私たちは戦いの準備と訓練をする必要がある」と通告したと伝えている。

テキサス州ウェーコでは１９９３年にブランチ・ダビディアン事件が起こっている。最終戦争に備えて大量の武器で武装したキリスト教系カルト「ブランチ・ダビディアン」の施設を連邦捜査官が捜査。これをバビロニア軍による攻撃と捉えた信者たちが銃撃戦を繰り広げ、２カ月近く施設に籠城した。最後はＦＢＩが戦車や装甲車を使って強行突入。火災が起こり、子供を含む信者ら81人が焼死したとされる。

『Ｖｉｃｅ』は、サンクチュアリ教会が購入したキャンプ場はウェーコから40マイル（約64キロ）の場所にあると伝えており、ツイッター上ではブランチ・ダビディアンを想起する声も上がっている。

また『Fort Worth Star-Telegram』は、ドクロのマスクをかぶってバイクにまたがる亨進氏の写真を紹介し、〈マッドマックス風の「銃の教会」〉と評した。亨進氏自身が、こうした写真をインスタグラムに掲載している。好戦的なビジュアルは、一貫してサンクチュアリ教会のネット発信の象徴的なスタイルになっている。

もはや単なるネット上の陰謀論集団ではなく、武装化を目指すカルト集団として警戒すべき存在かもしれない。日本サンクチュアリ協会については、さすがに銃を所持しているという話は聞かないし、『マッドマックス』風のコスプレも見かけない。しかし儀式に際してモデルガンを構えて記念写真を撮影したり、21年8月にも広島県の山中で軍事訓練を行うことを公式サイトで告知するなど、類似の活動や発信は見られる。

それでも、日本のネット上での影響力は強くはない。牽引役を果たせるほどの影響力はなさそうだ。前出の鈴木エイト氏は、サンクチュアリ教会とネット文化の関係をこう語る。

「2ちゃんねる全盛期の2000年代初めにはサンクチュアリ教会はまだ分派しておらず、統一教会でした。統一教会や関連団体である国際勝共連合の関係者などが2ちゃんねるで〝工作〟をしているという話は、噂程度には聞いたことはあります。近年でも、例えば自民党政権と統一教会の関係を指摘する記事をネットメディアで書いても2ちゃんねるやネトウヨ界隈では盛り上がらない。ネトウヨは嫌韓だが自民党とつながりが深い統一教会は叩かない、と言われることがあり、確かにそういう印象はあります。統一教会か、あるいは勝共連合などを通じて付き合いがある保守系のネットユーザーなどが手心を加えている可能性はある。しかし統一教会の影響力がことさらに強い印象もなく、教団本体の広報活動は、おおよそネット文化に慣れ親しんでいるとは思えない稚拙さがあります。」

統一教会本家は、路上でのデモより世界日報等の系列メディアを通じてのネット発信が主流だ。しかし米大統領選の「不正」に言及したりバイデンを批判したりする程度で、Qアノンほど極端な陰謀論の発信源にはなっていない。

サンクチュアリ教会は、日米両国で路上でのデモや街宣を頻繁に行う。アメリカでの活動は、ネット上でよくも悪くも注目を集めている側面はある。しかし日本での活動はそれほどでもない。日本でも街宣等の活動をユーチューブで発信してはいるが、視聴数は最大でも1600程度。全く注目されていない。日本では、統一教会本家もサンクチュアリ教会も、Qアノンの端っこの便乗組といった程度の存在感だ。従来からの国会議員等との連携の方が、彼らの本領なのだろう。

## 幸福の科学系Jアノンと内ゲバ

日本の路上でのJアノンデモを主導する2大勢力のもう片方が、幸福の科学だ。こちらは、統一教会やサンクチュアリ教会よりは、ネットの活用に長けている。

米大統領選前後にデモを主導した幸福の科学信者による団体は、「トランプ・サポーター・イン・ジャパン」と「チェンジジャパン」。名古屋でのデモ主催者「不滅の正義を守る会」も同様だ。「トランプ・サポーター・イン・ジャパン」と「チェンジジャパン」はともに、信者であり幸福実現党党員であることを公言している古山貴朗氏が代表を務める。「チェンジジャパン」には、幸福の科学を母体とする「幸福実現党」の外務局長・及川幸久氏と幸福の科学広報局職員・与国秀行氏も関わっており、同団体のユーチューブ動画には2人がレギュラー出演している。同団体のツイッター・アカウントでは幸福の科学の行事の告知なども行われており、教団との関連を隠していない。「不滅の正義を守る会」も、代表者は２００９年衆院選で幸福実現党から立候補した石田昭氏だ。

日本サンクチュアリ協会の関係者は、信者であることをデモ等の場で公言しないが、幸福の科学信者たちは違う。デモ開始前の挨拶やデモ後の演説では、自らが信者であることを堂々と語る。しかし幸福の科学の公式活動ではなく、教団による信者の動員もないようだ。幸福の科学信者による政治運動でありながら、既存の教団のネットワークではなくＳＮＳ等を通じて、信者たちの有志活動として信者以外も含めた参加者を募っている。

筆者はデモの現場で与国氏に、なぜ教団や党の公式活動ではないのか尋ねた。「オレが（教団内で）嫌われてるんじゃないか」と、そっけない反応だった。

幸福の科学の政治部門（「支持母体」ではない。両者は一体だ）である幸福実現党は、２０２０年６月の都知事選に七海ひろこ氏を擁立したが、選挙戦の途中で「撤退」を表明して選挙活動を放棄（公選法上、届出後の立候補は取り消すことができない）。同年の衆院選でも候補者を立てず、２００９年の結党以来初めて国政選挙戦を放棄した。翌２０２１年７月の都議選にも候補者を立てなかった。

与国氏は、こうした党のあり方への不満をフェイスブックの信者向けグループ内で爆発させたこともある。

幸福実現党が街宣カーをバッテリーをあげてしまうほど持て余しながらも、しかしその街宣カーを貸してさえくれない狭心なために、自分で街宣カーを持って啓蒙していくわけです。

おそらく一般から寄付を集め、自分で街宣カーを持って、ネットと街宣の両方で啓蒙活動をしている（教団の）職員は、私くらいでしょう。（フェイスブック・グループでの与国氏の投稿より）

与国氏は2018年に一般社団法人「武士道」を設立し自前の街宣車で街宣を繰り返すようになった。そのことがそもそも、教団や党の幹部らへの不満からだったというのだ。しかもこの与国氏の投稿が事実であれば、「武士道」は教団からの金銭支援もなく独自に寄付を集めている。教団の政治活動の縮小が、ネットを活用した信者有志による独自の政治運動を加速させた。ネットを通じて、教団本体の政治運動とは別途の人脈も開拓していく。

「武士道」の設立時には、ユーチューブ・チャンネル「JRPtelevision」で陰謀論を発信する朝堂院大覚氏の協力もあったようだ。前出の古山氏や与国氏は朝堂院氏のユーチューブ動画にも出演している。Ｊアノンデモには、幸福の科学信者だけではなくこうした方面の陰謀論者や保守系人脈も加わっていた可能性がある。

与国氏はトランプ支持を主張するだけではなく、陰謀論に基づく反ワクチンの主張も熱心に発信する。「武士道」で『コロナの真実　あなたの目覚めが世界を救う。』と題する冊子を作成し、デモ現場で配布。ネット上でも別の冊子『コロナから世界維新へ』と合わせてＰＤＦファイルを無料公開している。

『コロナから世界維新へ』は、目次を見ただけでも凄まじい。〈古来より悪魔モロクを祀る者たち〉〈悪魔の手先となった日本政府〉〈(携帯電話用電波の)5Gとスーパーシティの危険性〉〈「チップ埋め込み」を企む者〉〈秘密の秘密の組織〉〈悪魔勢力とバチカンの謎〉〈悪魔を出し抜け〉〈悪魔の手先「自民党」を粉砕すべし〉。この手の話が227ページにも及ぶ。

本家Qアノン以前からの陰謀論の総集編とも言える内容だ。幸福の科学や教祖・大川隆法氏の書籍などで言及されていない内容も含まれており、その教義や世界観の枠組みから大きくはみ出している。実際、与国氏がウェブサイトで公表している幸福実現党への政治提言の中にも、それまでの自身の提言を党が受け入れなかった理由について「(大川)先生が言われていないから」(『幸福実現党が100%大勝利する政治提言【上巻】』より)と書いている。

与国氏は教団や党の幹部を批判しつつも、教祖・大川氏に対する信仰は揺らいでいない。自身は教祖の教えに基づいて主体的に主張しているのであり、これこそ教祖の教えに沿っていると、これもネット上で主張している。

与国氏にとっては、こうした拡張の結果の1つが、Jアノン的なデモやネット発信なのである。教団は積極的ではないのに、一部の信者たちが独自に熱心に活動する。1983年に政治活動から撤退した後の生長の家を想起させられる。その後の生長の家では、政治に関わってきた信者たちが教団や特に3代目教主と対立。脱会したり教団を事実上追われたりして、別途、政治活動を続けた。その流れの中で生まれたのが、日本最大の右翼組織とも言われる日本会議であり、それを足がかりとする草の根的な保守運動だ。

いま似たような状況に置かれた幸福の科学信者たちは、草の根運動のフィールドや運動拡張の展望をＳＮＳに見出している。

## Ｊアノンの歪みと交錯

Ｊアノンのデモ活動は、これら宗教系の政治運動が主力となり、新中国連邦や法輪功といった中国系の陰謀論集団（Ｃアノン）等々、様々なグループが相乗りするという雑多なものだった。そのため、本家Ｑアノンとは主張の傾向が異なる部分や、グループ間の主張の矛盾も目についた。

アメリカの本家Ｑアノンの基本的な世界観は、アメリカには悪魔を崇拝する小児性愛者たちの秘密結社が存在し、それがディープ・ステート（影の政府）として政府を支配しているというものだ。

しかしＪアノンのデモでは、小児性愛がどうのという類いの主張は見られなかった。デモ後の演説などでは、前出の与国氏のように「ディープ・ステート」に言及する場面はあった。しかしデモの主題というほど前面に押し出されているわけでもない（もちろん、選挙の不正という主張は、ディープ・ステートの存在を意識したものと考えられるが）。

シュプレヒコールやプラカードなどで見られたＪアノンの主要な主張は、米大統領選で不正が行われた、真の勝者はトランプである、中国共産党を倒せ、だ。特に、中国共産党との対決を期待してのトランプ支持という色合いが強い。

チベット、ウイグル、香港、法輪功の問題など、中国における人権問題の存在に加えて、中国の覇権主義的な外交手法の問題もあり、ましてや日本はその隣国。反中国の色合いが強くなるのは当然といえば当然で、Ｊアノン云々と関係なく様々な立場の人々が中国共産党を批判してきた。右派系のデモ等やＳＮＳでは新型コロナも、「武漢ウイルス」と呼ばれ反中国運動のツールの1つだった。アメリカの内政への関心より、中国問題というテーマが、Ｊアノンの盛り上がりを支えた最も大きな共通要素である印象を受ける。

トランプ支持にせよ反中国にせよ、Ｊアノンの目的意識は異なる2つの宗教勢力の合流をも実現した。前述の通り、２０２1年1月にサンクチュアリ教会系と幸福の科学系の両グループがデモを共催している。両者は教義も全く違うばかりか、かつて対立した間柄でもある。その歴史を知る筆者にとっては、にわかに信じがたい共闘だった。

サンクチュアリ教会が統一教会から離脱するより前の２０１０年。幸福の科学教祖・大川氏は、当時存命中だった統一教会教祖・文鮮明の守護霊を呼び出したと称して、その言葉を書籍『宗教決断の時代　目からウロコの宗教選び（1）』として出版した。文鮮明を地獄に住む蜘蛛であるかのように扱う等の内容を含んでいたことから、統一教会は幸福の科学に対し2度にわたって抗議文を送り、謝罪と訂正を要求。幸福の科学はこれを拒否した。２０１4年にも大川氏が別の著書『忍耐の法』で、文鮮明がイエス・キリストを「偽物である」としているかのように述べたとして、統一教会は3度も幸福の科学に抗議書を送りつけた。ここでも幸福の科学は謝罪と訂正を拒否している。

サンクチュアリ教会が統一教会を離脱するのはこの翌年。離脱後も文鮮明を教祖として崇拝している。幸福の科学は、最も重要な信仰対象を貶めた（と統一教会において捉えられている）仇敵だ。

そんな2つの宗教団体がトランプ支持、反中国の旗の下に合流したことも驚きだが、シュプレヒコールもすごかった。先頭でコーラーを務めた幸福の科学関係者が、拡声器を通じてこう叫んだのだ。

「ウィズ・セイビア！（救世主とともに）」

これは2020年終盤からの幸福の科学のキャッチコピーだ。年末の恒例行事「エル・カンターレ祭」では同タイトルで教祖・大川氏の法話も行われている。セイビア（救世主）とは言うまでもなく、幸福の科学における至高神エル・カンターレこと大川隆法氏。サンクチュアリ教会関係者も含めた他団体と共催のデモで、「最新のメシア（救世主）」である文鮮明を冒瀆した（と統一教会においては捉えられている）他教団の教祖を称える言葉をコールしたのである。

もちろんデモ隊は、これに応じて一斉に声を挙げた。

「ウィズ・セイビア！」

サンクチュアリ教会関係者がこの言葉の意味を理解していたかどうかはわからない。いずれにせよ、傍目にはかなり無茶なコラボレーションだった。

そんなデモも、大統領選でのトランプの敗北が確定すると鳴りを潜めていく。しかし2021年の後半には、2022年開幕の北京冬季五輪開催に反対する反中国共産党運動として、再びデモが開催された。

2021年12月12日。日比谷で行われた「北京五輪ボイコット推進集会・デモ東京大会」だ。チラシには、主催は「保守合同連絡協議会（旧トランプ支援デモ実行委員会）」とある。旧名称の表記が前出の「トランプ大統領再選支持集会・デモ実行委員会」と微妙に違う。しかし前出の「トランプ大統領を支援する会」の事務局長で日本サンクチュアリ協会信者の小林直太氏と、これまた前出のトランプ応援デモを主導していた幸福の科学信者・古山貴朗氏らが加わっていた。約1年ぶりとなる、両教団信者らのコラボレーションだ。

日比谷図書文化館の地下大ホールで集会を行い、続いて日比谷公園前から銀座を抜け八丁堀までデモ行進を行った。参加者は120人ほど。

集会では、人権侵害国家である中国に五輪開催国の資格はないという趣旨の決議文が読み上げられた。小林氏や古山氏もスピーチに立った。

集会の開始前には、会場内でチラシが撒かれていた。

「いま反中国の映画を作るための資金を集めています。よろしくお願いします。」

クラウンドファンディングを実施中だという。渡されたチラシを見ると、監督は幸福の科学信者で教団の信者養成機関「ハッピー・サイエンス・ユニバーシティ」で教鞭をとる園田映人氏だった。

この頃、東京・武蔵村山市議会で外国人住民にも住民投票権を認める条例案が議論されていた。ネット上では「中国人に乗っ取られる」などと主張する人々がヒートアップし、現地でヘイト街宣等が行われる騒ぎになっていた。

日比谷での反北京五輪集会では、この条例案に反対するアピールも行われた。集会の締めくくりには、4人の国会議員からの激励メッセージを主催者が代読した。名前が挙がったのは、杉田水脈、三ッ林裕巳両衆議院議員、山田宏、和田政宗両参議院議員だ。

「反中国共産党」で1年ぶりに再集結した2つの宗教団体の関係者と保守活動家たち。ネット上での騒ぎに呼応して、本来の集会の趣旨になかったテーマを急遽追加し、さらには以前にはなかった国会議員からの応援まで加わったのである。

集会後のデモには、前出の新中国連邦関係者も参加し、デモ隊を追走する形で歩道では法輪功が新聞を撒き、大紀元時報が映像取材を行う、1年前のJアノンデモと同じ光景が繰り広げられた。デモ後、幸福の科学信者の古山氏と少し立ち話をした。北京五輪ボイコット運動には、日本サンクチュアリ協会関係者ばかりではなく、統一教会本家や、7男派同様に分派した3男派の信者も参加しているという。私は幸福の科学から敵視されており、信者の中には私を「悪魔」と呼ぶ者もいるほどだが、古山氏からは「中国共産党を倒すためなら藤倉さんとでも手を組む」と言われた。

彼らの信仰にそぐわない者とでも手を組むと言い切るほど、中国共産党との戦いは彼らにとって重大事なのである。

## 幸福の科学のネット戦略

幸福の科学も、もともとは統一教会と同様かそれ以上に、2ちゃんねる的な文化とは無縁で、SNS隆盛の段になってネット文化に合流してきた「遅れて来たネトウヨ」だ。

1986年に設立された幸福の科学は、設立初期から教祖・大川氏が神や歴史上の人物の霊を呼び出したと称して語る「霊言」を用いている。宗教法人化した1991年に、大川氏が自身を地球至高神エル・カンターレであり仏陀の再誕であると自称するようになった。

その教義や世界観の一側面にすぎないが、要約すると、至高神が肉体を持って下生（げしょう）した現代の日本は稀有な恵まれた存在であり、その教えに従って繁栄しアジアあるいは世界のリーダーになる（べき）という独特なナショナリズムを含んでいる。同時に90年代から自民党を支持し、一時は三塚博幹事長を支援し総理大臣に据えようとしたこともある。

とは言え、「保守」「愛国」を標榜し、共産主義を非難し、国防強化と核武装を主張し、南京大虐殺や従軍慰安婦を捏造だとする極右的な発信を本格化させたのは、2009年に幸福実現党を結成し独自に政界進出を目指し始めて以降のことだ。

教団初期の80年代終わりに入信したAさんは、90年代に脱会。1999年に開設された2ちゃんねるを見るようになったという。「幸福の科学アンチ」の主戦場が概ねツイッターへと移行した2016年頃から自らも教団批判をしたり、信者の脱会を世話する等のアンチ活動を始めた。その間も親族や知人に現役信者がおり、教団の実情とネット情報の両方に触れてきた立場だ。そのAさんが、幸福の科学とネットの歴史を振り返る。

「2ちゃんねるの初期の1999年頃は、『心と宗教』カテゴリに幸福の科学に関するスレッドが山ほど立てられていました。オウム真理教の麻原彰晃が1999年のハルマゲドン（最終戦争）を予言していましたが、当時はノストラダムスの予言の影響でハルマゲドンや人類滅亡ネタ全般が熱かった。幸福の科学も大川隆法の『ノストラダムス戦慄の啓示』という霊言本を出版し映画化もしていたため、2ちゃんねるでは幸福の科学も〝ハルマゲドンマダー?〟とばかりにいじられていました。教義について真面目に語るスレには現役信者らしき人もいましたが、大半のスレは幸福の科学をおちょくる内容。当時はいまより太っていた大川が『天才バカボン』のバカボンに似ていたことから、大川をバカボンに模したアスキーアート（ＡＡ：文字や記号を並べて作るイラスト）などで盛り上がっていました。大川の当時の妻だったきょう子と大川のセックスを描いたＡＡなんかもありましたね。」

教団自身は90年代半ば頃には独自の信者管理データベースＥＬＩＳ（エル・カンターレ・インフォメーション・システム）を導入するなど、コンピュータ化は進めていた。ＥＬＩＳは現在も、職員や信者に向けた内部連絡にも使われるイントラネットとして稼働している。

「ところが99年頃の幸福の科学では支部の職員が信者に、メールもだめ、ネットどころかパソコン自体が悪魔的だとまで言って指導していました。そんな状態ですから、職員ですらもパソコンやネットはほとんど触っていなかったのではないでしょうか。当然、２ちゃんねるは悪、ネットは悪魔の住処、見てはいけない、と教えていました。」（Ａさん）

逆にワープロとＦＡＸの使用が推奨されていたという。

幸福の科学は１９９１年に、ＦＡＸを駆使した「講談社フライデー事件」を起こしている。大川氏を「ノイローゼ」などとする記述を含んだ週刊誌『フライデー』の記事への抗議の一貫だ。全国の信者を動員して発行元の講談社や子会社の日刊ゲンダイに対して抗議の電話やＦＡＸを殺到させ業務を麻痺させたのだ。

「支部から信者への連絡なども、いまでこそメールになっていますが00年代に入ってもしばらくはＦＡＸ。知り合いだった現役信者は〝おかげですぐＦＡＸ用紙がなくなる。メールにしてくれた方が楽なのに〟とこぼしていました。」（Ａさん）

教団が極めて簡素な公式サイトを開設したのは２００４年頃。２００６年頃にミクシィのコミュニティが職員や信者の交流の場となったことで、本格的にネットが活用されるようになる。

「しかしこの頃には批判ブログやサイトが10も20もできていて、2ちゃんねるでの教団批判や内部告発をベースとしながらアンチ勢力がネットを席巻していました。情報の真偽を度外視してとにかく教団を叩こうとする人も少なくなく、たとえアンチでもそれに疑問を挟めば〝教団職員だろ！〟とレッテルを貼られ叩かれるようになっていった。アンチの私から見てもあまり気分が良くありませんでした。」（Ａさん）

２００９年に幸福実現党が結成される。大手メディアも報じる全国ニュースになった。

これに先立って、90年代初め以降公表されなくなっていた霊言が再び新たに公表されるようになった。しかも以前と違って存命中の政治家（当時米大統領に就任したオバマ氏など）の霊言も連発された。傍目に見ても面白おかしい教団の動きが目白押しだった。

特に霊言は現在に至るまで、かなり広い層のネット民の娯楽だ。英国サッチャー元首相など名のある人物がなくなる度に、「死後第一声」などという不可思議なキャッチコピーで霊言を発表する。ブルース・リーの霊を呼び出したと称する大川氏が「アチョー！」を連呼する。安倍晋三首相（当時）の霊を呼び出したと称して、幸福実現党党首と勝手に「党首討論」を行う。宇宙人の霊を呼び出したとして大川氏が意味不明の宇宙語らしきものを延々と発し続けた霊言本『宇宙人との対話』

は、2011年に「と学会」によって「日本トンデモ本大賞」に選ばれた。宗教指導者としては初の受賞という快挙である。

教団は一時期、ユーチューブで霊言のダイジェスト映像を公開していた。当然、ネット民の餌食になった。編集を加え効果音や音楽と組み合わせたりする、いわゆる「MAD動画」の素材にされる。イエス・キリストの霊が「アイ・アム・ジーザス・クライスト!」と英語で自己紹介する(イエスの時代に英語は存在しない)シーンなど、霊の「登場シーン」ばかりを切りあわせて笑いものにする非公認の総集編動画も生まれた。そのフィールドは主にニコニコ動画だ。霊言や法話の動画からのキャプチャ画像を使って幸福の科学や大川氏を揶揄する「クソコラ」も横行する。

幸福の科学と大川氏はネット民に「娯楽」を提供し続けた。

2011年には、大川氏の当時の妻・きょう子氏との離婚騒動が表面化。大川氏がきょう子氏の霊を呼び出したと称して喋り、その霊を教団職員や息子娘(うち1人は、後に教団に反旗を翻す長男・宏洋氏)が罵るという霊言が発表され、また教団内で「悪妻封印祈願」なるものが行われた。きょう子氏は週刊文春や週刊新潮で教団の内部事情を暴露し、霊言等に関して教団や大川氏を提訴し、記者会見も開いた。

2014年には幸福の科学が開設を目指していた「幸福の科学大学」が文科省から不認可にされ、これまた全国ニュースになる。文科省を非難する教団側の発表によって、認可申請時に教団関係者が文科省職員を脅すような発言までしていた事実が確認された。

同じ年、幸福の科学は、1993年に従軍慰安婦の存在を認め謝罪した「河野談話」に抗議するためデモを開催。河野談話の河野洋平氏ではなく、なぜか息子の河野太郎衆議院議員の自宅前に押しかけ抗議文を投函した。ところが実はその家は太郎氏の家でもなく別の「河野さん」宅という、「誤爆デモ」だった。河野太郎氏自身がツイッターで教団側の誤りを指摘したことで、ネット民はより盛り上がった。

２０１７年には女優の清水富美加が芸能界からの事実上の引退と幸福の科学での出家を表明して、ワイドショーやスポーツ紙、週刊誌が大騒ぎ。翌２０１８年には大川氏の長男・宏洋氏が教団を離脱した上にユーチューバーとなって、教団や大川氏への批判や内情暴露を始める。

これらの騒ぎはその都度ネット上で取り沙汰され、２ちゃんねるに限らずアンチのブログやツイッター等様々な場でおちょくりの材料にされた。

教団は、ネットメディアへの抗議や、ＭＡＤ動画やクソコラに対して著作権侵害を理由とした削除申し立て等で対抗する一方、ネトウヨ方面への訴求を意識したネット上での政治メッセージの発信に力を入れた。

幸福実現党を結成し、初の国政選挙である衆院選に３３７人もの候補者を立てた２００９年。衆院選に先立って同党は、ユーチューブ・チャンネルを開設。７月１日に初めての動画を公開した。〈①北朝鮮、核ミサイル発射！！ North Korea Launches Nuclear Missiles!〉と題する動画は、「北朝鮮から飛翔体が発射された模様です」とするテレビのニュース映像で始まるシミュレーション作品だ。続けてキャスターが臨時ニュースを伝える。

「たったいま大阪で何か大きな爆発があったという情報が入りました」

会社でそれに見入る2人組のサラリーマン。大阪の爆発は北朝鮮によるミサイルと判明。さらに名古屋で核爆発が起こり、東京にも核ミサイルが向かっていることが伝えられる。迎撃ミサイルPAC3は外れてしまい、東京でも核爆発が起こる。続けて、

① 憲法改正、国の防衛権を定める
② 「毅然たる国家」として、独自の防衛体制を築く
③ 日米同盟の堅持、国益重視の外交

といった幸福実現党の政策がアピールされる。

この他に〈②北朝鮮が韓国・日本を侵攻する日〉〈③北朝鮮、先制攻撃!!【北朝鮮ミサイル完結編】〉など、立て続けに計5本の北朝鮮関連のシミュレーション動画を公開した。

この年の衆院選では、自民党から民主党に政権が移った。教祖・大川氏を含め候補者全員が落選した幸福の科学は、民主党政権を左翼政権として批判するようになる。

翌2010年には、〈中国が尖閣・沖縄を侵略する日〉と題する動画を公開した。沖縄の基地反対運動によって米軍が沖縄から撤退。その途端、人民解放軍が沖縄に上陸し、砂浜でバーベキューを楽しんでいた地元の若者達を戦闘機からの銃撃・爆撃と兵士による発砲で皆殺しにする。「尖閣問題は単なる始まりにすぎない」として、中国による日本侵略をシミュレートして見せた。

〈③北朝鮮、先制攻撃!!【北朝鮮ミサイル完結編】〉の再生数は137万回。〈中国が尖閣・沖

縄を侵略する日〉は57万回。幸福実現党関係者の街宣やデモの動画は千数百からせいぜい1万回程度だから、一連の戦争シミュレーションは桁違いの「ヒット作」だ。日頃は同党のユーチューブなど見ていない多くの人の目を引いたことを示す数字だろう。

この年、幸福実現党の矢内筆勝・総務会長（当時）がシンポジウム「偏向マスコミ報道と中国の脅威」で、イリハム・マハムティ氏（日本ウイグル協会代表）と共演。中国共産党批判の一環として、中国の民族問題・人権問題に参入する。２０１１年には、モンゴル自由連盟党幹事長のオルホノド・ダイチン氏、イリハム・マハムティ氏、桐蔭横浜大学大学院教授のペマ・ギャルポ氏がそれぞれ、南モンゴル、ウイグル、チベットの問題について、幸福の科学の機関誌『ザ・リバティ』に寄稿した。イリハム氏やペマ氏はその後も幸福の科学内での講演、関係者との対談、機関誌への登場を繰り返す。

２０１５年に日本ウイグル連盟が発足し、日本ウイグル協会に代わって世界ウイグル会議の構成団体となった際に会長に就いたトゥール・ムハメット氏も、前年に早稲田大学の学祭「早稲田祭」で釈量子党首と対談している。

こうした民族問題・人権問題を中国共産党批判の一環としてカバーし、それをまた機関誌のウェブサイトやツイッター、ユーチューブで頻繁に発信する。

２０１２年９月。国有化され注目を浴びた尖閣諸島に、幸福の科学信者のロックミュージシャンＴＯＫＭＡ（トクマ）が上陸。軽犯罪法違反で書類送検される（後に不起訴）。この事件もネット上で話題になり、ネトウヨを刺激した。

2013年に幸福の科学は、党のユーチューブ・チャンネルとは別に、「THE FACT」というチャンネルを開設する。謳い文句は〈マスコミが報じない「事実」を世界に伝えるネット オピニオン番組〉だ。最初に公開された動画は、米グレンデール市が従軍慰安婦像を設置したことを批判する動画の予告編。後日、〈なぜ全米に従軍慰安婦像が乱立するのか?〉と題して本編動画が公開された。

「THE FACT」が2016年に「反基地活動での暴力行為をノーカット配信!」(フェイスブックページでの告知より)として公開した動画〈【ノーカット配信】沖縄へリパッド移設反対派リーダーが逮捕~2016年8月5日(金)沖縄・高江での抗議活動【ザ・ファクト】〉は、約136万回の再生数を記録。ネトウヨにもてはやされた。

幸福の科学は、慰安婦像への反対運動を展開する「なでしこアクション」(代表者の山本優美子氏は在日特権を許さない市民の会=在特会の元関係者)などとも連携。2016年にはジュネーブの国連欧州本部での女子差別撤廃委員会で幸福実現党・釈量子党首、山本優美子氏、杉田水脈氏(現衆議院議員)がスピーチ。「正しい歴史認識」を求め、従軍慰安婦をめぐって〈「強制連行説」や「性奴隷説」を否定〉(『ザ・リバティ』より)した。杉田氏は、「LGBTには生産性がない」とする寄稿で『新潮45』を廃刊に追い込んだことでも知られるネトウヨ議員だ。

幸福の科学がネットでの発信と並行して「名のあるネトウヨ」方面への人脈を広げていった様子が見て取れる。

2014年には、幸福の科学系団体「論破プロジェクト」(実行委員長・藤井実彦氏)がフランス

「アングレーム国際漫画祭」に従軍慰安婦を捏造だと主張する漫画を出展しようとして拒否される騒ぎが起こった。一方で慰安婦をテーマとした韓国側の作品は出展されたとして、産経新聞がこれを疑問視しつつ報じた。これを受け、岸田文雄外相（当時）が記者会見で不快感を表明。菅義偉官房長官（当時）は韓国政府が同漫画祭を主導していると批判。片山さつき参議院議員は、「明日欧亜局呼びます早期事態収拾を！」と鼻息荒くツイートするなどの騒ぎに発展した。

片山氏はこの件に関してユーチューブの「さつき　チャンネル」で、藤井氏、テキサス親父事務局長の藤木俊一氏と3人での座談会を公開している。

藤井氏は幸福の科学信者。幸福実現党も後援団体の1つになっている。賛同人には幸福の科学信者の漫画家、さとうふみや氏（『金田一少年の事件簿』の作画者）も含まれ、信者以外にも故・加瀬英明氏（外交評論家）、高橋史朗氏（明星大学教育学部教授）といった日本会議関係者、花田紀凱氏（『ＷｉＬＬ』編集長）や故・渡部昇一氏（上智大学名誉教授）など保守系言論人も名を連ねていた（いずれも肩書は当時のもの）。

２０２１年には、レイシズム運動との共闘も行った。8月15日。終戦記念日の靖国神社近くの路上で、前出の幸福の科学職員・与国氏が、「在日特権を許さない市民の会」（在特会）と合同でヘイトスピーチ街宣を行ったのである。

同日、「反天皇制運動連絡会」（反天連）系の反靖国・反天皇制デモが靖国神社近くの九段下駅前を通過。与国氏の団体「武士道」と在特会が合同で、沿道からこれを非難する活動を行なった。その中で在特会の関係者たちが、反天連を「中国人」「北朝鮮人」と決めつけ、「殺せ」「出ていけ」

「ゴキブリ」などと口汚く罵った。在特会関係者が現場責任者を務め、在特会の名を記載した横断幕が堂々と掲げられた。

与国氏は、在特会が何なのか、事前によくわかっていなかったようだ。終了後、困惑した表情で私にこう話しかけてきた。

「(この人たち) いつもこんな感じなの?」

いつもこんな感じである。

信者へのアピールではなく、非信者による支持を目指しているかのように見えるネット発信やデモ等の活発化は、信者自身も意図しないほどに支持・連携の幅が広がっている。

幸福の科学の信者数は、公称1100万人だが、実際に活動している信者は2000年代初めの最盛期で数万人程度だと言われている。そしてここ十数年、全く増えている気配を感じない。

脱会したての元信者によると、前出の教祖の離婚騒動以降、支部に集まる信者の数は半分から3分の1ほどだという。休館日ではないのに無人になっている支部、電話が通じない支部もある。2017年末には500近くあった全国の教団支部の約1割が閉鎖された。私自身、2009年に幸福の科学の取材を始めてから現在まで、最近入信したばかりだという信者に会ったことがない。皆、教団の初期から入信している信者か、その子供だ。

にもかかわらず、ネット上では非信者であるネトウヨ方面にはそれなりにウケがよく、「幸福の科学を信仰しないが政策は支持できる」などと言う人までいる。私の知人にも、信者ではないしネトウヨにも見えないのに「選挙では幸福実現党に投票している」と語る者がいるほどだ。

こうした流れの中で、特に米大統領選前後からユーチューブでの発信に力を入れているのが、Jアノンデモを主導した幸福の科学信者や幹部たちなのである。

## 新型コロナをめぐる陰謀論

Qアノンが勢力を増した2020年には、世界中で新型コロナウイルスが蔓延した。「自然派」「スピリチュアル」等の分野の信奉者の中にはもともと一般的な医療やワクチンを忌避する人々がいたが、新型コロナに関しても「反ワクチン」や「マスクは身体に有害」と主張する「反マスク」の運動が起こる。

やがてワクチン陰謀論がSNSに登場し、英語圏でも日本でも広まる。マイクロソフトの創業者であるビル・ゲイツがワクチンによって人々にマイクロチップを埋め込もうとしているとか、ワクチンを接種すると携帯電話の5G電波に接続して操作される（あるいは個人データを抜かれる）という類いだ。

新型コロナウイルスそのものについても、生物兵器であるとする言説のほか、宇宙人が（あるいは地球上の何者かが）人類を滅ぼしたり人口を削減するために仕組んだものとする陰謀論も登場する。新型コロナウイルスなど存在せず（あるいはさして重大な病いを引き起こすものではなく）、コロナ対策の名目で行われる様々な規制やワクチン接種を「仕組まれたもの」とするものもある。

これらとQアノンはイコールではないが、一定の重なりを持っているようだ。現職時代のトランプが新型コロナ拡大当初、対策を比較的軽視しており、自身もマスクを着用しようとしなかったことから、新型コロナ関連の規制やマスク強要等に反対する人々の間でも、トランプは英雄視された。実際には、トランプは２０２０年７月には一転してマスク着用を呼びかけており、９月には自身も新型コロナに感染。退任後の２０２１年12月には、３度目のワクチン接種を済ませたことを表明しているのだが。

いずれにせよ、新型コロナの拡大と同時に日本でも、「コロナはただの風邪」「ワクチンやマスクは有害」と主張しデモや街宣を行う人々が現れる。

前出の通り、幸福の科学職員の与国秀行氏も、自身が代表を務める「武士道」で『コロナの真実あなたの目覚めが世界を救う。』と題する冊子を発行している。内容は、「水増しされているコロナ死者数」「無意味どころか悪いことばかりのマスク着用」「ワクチンに入っている奇妙な成分」といった調子。マスコミ批判等を展開した上で、〈コロナが世界を襲う今こそ、世の中が「おかしい」ということに気がつくチャンスです〉という。

複数の幸福の科学信者やその家族が、私に対して「信者たちはマスクもしないしワクチンも打っていない」と口をそろえる。日本を新型コロナの第５波が襲った２０２１年８月に、教団内でも感染者が出た。教団職員の中に複数の死者が出たとも聞く（教団はこの事実を認めていない）。この頃から教団内では、マスクの着用が推奨されるようになった。

しかしその後も、施設内ではマスクをしていない信者や職員が多いという話や、ワクチンを打たない信者が多いという話が漏れ聞こえてくる。

幸福の科学では、教祖・大川隆法氏が「法力でウイルスを死滅させることができる」などと主張して、「マスクは要らない」と法話で語っている。しかし信仰によって感染や重症化を回避する「信仰ワクチン」「信仰免疫」を謳いつつも、ワクチン接種については明確に否定してはいない。ワクチンの事実上の強制につながるワクチン・パスポートを批判している程度だ。教団では「コロナ・ワクチン副反応抑止祈願」なるものも行われている。ワクチンを接種している信者もいることが前提になっている。

現役信者とも交流がある元信者は、こう語る。

「ワクチンを打つなとは言われていません。ただ、与国さんのように反ワクチンにハマっている信者が何人かいて、信者限定のフェイスブックのグループなどに、ネットで拾ってきたワクチン陰謀論などを頻繁に投稿している。そのせいで、教義や教団の方針とは関係なく、信者の中に反ワクチン思想や陰謀論が広まってしまっている。」

前出の幸福実現党外務局長・及川幸久氏も、与国氏のように教団と別途の独自活動として、ユーチューブやニコニコ生放送でメッセージを発信している。元「ＣＨＡＧＥ　and　ＡＳＫＡ」の歌手・ＡＳＫＡが、信者でもないのにネットを通じて及川氏に心酔しているようだ。２０２２年１月に、及川氏のニコ生放送のＵＲＬを添えて、こんなツイートをしている。

初詣〜寄り道から帰り、
３回目の「ニコ生」視聴終了。

この回は、日本中に
気づき、勇気、希望を与える回になった。
イ@べ@ル（原文ママ）が「万能薬」であることを確信。

及川氏がニコ生でイベルメクチン（新型コロナ感染症への効果は確認されていない）を万能薬として取り上げていたようだ。前出の元信者が言う。

「教団の中でも、発熱した職員がイベルメクチンを買いに走ったり、信者の間でもイベルメクチンを買い求める動きがある。イベルメクチンに頼る時点で、大川氏の法力や信仰ワクチンに意味がないと言っているようなものなのに。」

反ワクチン陰謀論もイベルメクチンの効果を謳う情報も、幸福の科学の教義や教団の方針にはない。大川総裁がそういった類いの発言をしていることも確認できていない。しかし一部にせよ信者たちがこうした思想に染まっている。

信者でありながら、「神の言葉」ではなく「ネットに転がっている言葉」を信じ翻弄されている。反ワクチン陰謀論は、場面によっては「宗教」以上の広がりと根深さを備えていると言えるのかもしれない。

## 突如湧いて出た新興勢力

露骨な陰謀論に走るかどうかは別として、「コロナは風邪」「ワクチンやマスクは有害」と主張する集団はいくつもある。しかし日本の場合、ワクチン接種やマスク着用は基本的に「推奨」「お願い」ベースであって強制ではない。場面や職種によってこれらが義務付けられる欧米と事情が違うせいか、日本の反ワクチン運動は欧米ほど大規模にも荒っぽい運動にもなっていなかった。ところが、2022年初頭から、その状況が一変する。

本日を持って
神真都覚醒
神真都共和国建国
全国統括
神真都Qリーダーに
岡本一兵衛さんを
強く推薦します

2021年末に「甲(こう)」を名乗る人物がツイッターで「神真都Q」と名乗る新団体の設立を宣言。

翌年1月から毎月2度、デモを繰り返すようになった。東京では新宿と渋谷で開催し、それぞれ多い時で200~300人。毎回、都道府県ごとに全国で同時デモが行われ、いきなり日本で最大規模の反ワクチン運動となった。

「ワクチン反対!」

「ワクチン会場、閉鎖しろよ!」

「子供に毒物ワクチン打たせてんじゃねえよ! バカ親!」

1月23日の新宿で行われたデモには300人ほどが参加。先頭でコーラーを務める女性リーダーが拡声器で喚き散らす。そればかりか沿道の通行人にまで拡声器で怒鳴りつける。

「そこのあなた、なんでマスクしてるんだよ!」

「マスクの中には毒物が練り込まれてるんですよ! いますぐ外して!」

「同調圧力に負けてんじゃねえ!」

デモ隊を誘導する警察官の顔から数十センチの距離に拡声器を近づけ、「マスクを外して!」と怒鳴る。マスクを着用している私に対しても「あなたはどっち側なんですか!」と詰め寄る。

団体名からわかるように、自らQアノンを標榜する。「ワクチン反対」等のプラカードに混じって「TRUMP」と書かれた大きな旗や横断幕。トランプ帽をかぶった参加者も何人もいた。「ワクチン反対」より「We Are Q!」というシュプレヒコールをメインに据えて繰り返す。先頭のリーダーは拡声器で堂々と、こう叫んでいた。

「私たちはトランプ大統領から承認された世界で17億人いるQです!」

大統領選でのトランプ支持にせよ反中国共産党にせよ、日本では「Q」「Qアノン」を標榜するデモは皆無ではないがほとんど見かけない。そこに突如、反ワクチン運動として「Q」を自称する団体が大々的に活動を始めたのである。

神真都Qの代表者は元俳優の「イチベイ」「岡本一兵衛」を名乗る人物（俳優時代の芸名は岡崎礼）。思想面での中心は前出の甲氏ではないかとも言われている。また陰謀論ユーチューバーのジョウスター氏も深く関わっているようだ。ジョウスター氏はオフ会なども開催していた。突如現れたかのように見える神真都Qは、もとはこうした陰謀論系インフルエンサーのファンサークルが起点のようだ。

ジョウスター氏は、DJ、プロデューサーとして音楽関係の動画を中心としたユーチューバーだった。しかし2020年3月から「トランプ大統領の合図でQアノンプランが始動した」とする動画を公開して以降、Qアノン情報を連発。それまで多くて2000程度だった再生数は1～3万ほどに跳ね上がる。現在に至るまで、動画のテーマは大半がQアノンやトランプ称賛ばかりになった。ジョウスター氏は神真都Qが結成される直前、250万円もするスピリチュアルグッズ「テスラ缶」（身近に置いておくだけで万病に効くと謳う、あからさまなインチキグッズ）の体験イベントを開催したり、類似品である「大和缶」の自作を提唱したりもした。

その後活動を開始した神真都Qでは、メンバーになったりデモに参加したりするために氏名等の個人情報の提出を必須とされた。2022年3月からは入会金と年会費も集め始めた。こうしたことから、批判的なウォッチャーの間では神真都Qはビジネス目的ではないかとの声もあり、「ビジネスＱアノン」などとも揶揄される。

その思想は、本家Ｑアノンと異なる部分が多い。前出のイチベイ氏がユーチューブに『覚醒セクション』というタイトルで公開している４本の動画から、それがうかがえる。要約すると、こうだ。

「バチカンの地下に魔物の結界によるクリスタルバリアで守られた禁書庫がある。１フロアだけでも６６６万もの書物や遺物が保管されている。全部で10フロアある。ここを守っている魔物たちはＮＡＡ血族である。彼らは世界の諜報機関、政府、軍、中央銀行、個人を洗脳して支配しているイルミナティであり、ディープ・ステートである。彼らは光と闇の銀河戦争で傷つき追われて地球に来た。その際、彼らはゲートを破壊し、空に遮断シールドを張り情報や宇宙エネルギーを遮断し、自分たちが支配しやすい環境を地球に作った。南極にはいまもゲートが残っており、トランプ大統領がジュピター会議などに行くために使っている。大和民族は善の宇宙人や龍神のＹＡＰ遺伝子を受け継ぐ、宇宙人直系の民族であり、世界の中心である。そのためＮＡＡ血族に特に眠らされてきた。これと戦い、覚醒する人を増やしていくのが光側の計画である。」

何が何やらわからないが、この「覚醒計画」の一環として、さしあたって反ワクチンデモを繰り返しているようだ。彼らに言わせれば新型コロナウイルスは存在せず、ワクチンやマスクや様々な規制は、地球上の人口を削減するためのディープ・ステートの陰謀なのである。

これも「Ｊアノン」と呼ぶべきかもしれないが、Ｊアノンの中でも独自色がずば抜けている。

神真都Ｑのデモは、参加者のほぼ全員がノーマスク。２０２２年１月23日のデモの際に拡声器で喚き散らしていた女性リーダーも同様だ。そのリーダーが、デモの数日後にこんなツイートをしている。

神真都Q執行部と新宿隊の皆が、ケムにやられてこぞって熱出してます　まじで体きつい

ケムとは「ケムトレイル」のこと。飛行機からばら撒かれているとされる有毒な化学物質のことで、Qアノン以前から存在する陰謀論の一つだ。

神真都Qの人々の世界観では「新型コロナは存在しない」ので、発熱しても新型コロナのせいではなくケムトレイルのせいなのである。PCR検査も拒むため、女性リーダーが言及した執行部や新宿隊の人々が陽性だったのか陰性だったのかも不明なままだ。

## LINEのオープンチャットで過激化

神真都Qのメンバーたちは、主にLINEの「オープンチャット」（以下、OC）と呼ばれる会員制チャットでやりとりをしている。全国同時デモのデモ隊ごと（つまり概ね全都道府県ごとに）OCが設置され、2022年3月の時点で、たとえば「東京新宿デモ隊」のOC参加者は1518人、「東京渋谷デモ隊」は375人。新宿デモ隊OCには一時800人以上いたが、神真都Qに批判的な人々による荒らしがひどく閉鎖され、別途設置し直された。全ては確認できていないが、東京以外の地方都市のデモ隊OCも、300～500人程度が参加している。

いずれも参加者の投稿は活発だが、陰謀論情報の共有、議論、質疑は活発ではない。私が潜り込んでいる東京のデモ隊ＯＣでは、投稿の連投や、他のメンバーに対して少しでも批判的なトーンを含む投稿をする人は、敵対者でなくても排除されてしまう。細かいことは言わず、ただただ賛同し盛り上がる人同士の交流の場と、執行部からの連絡が主な内容だ。

２０２２年3月頃から神真都Ｑ内には、全国各地でデモ隊を率いる「実行部隊」とは別に「行政交渉部隊」なるものが結成された。ワクチン接種事業について行政に抗議を行う部隊のようだ。同部隊の活動かは不明だが、同月には静岡県内のワクチン接種会場に神真都Ｑを名乗るグループが乱入。スタッフや医師らに「(ワクチン接種は) 殺人罪だ」と詰め寄るなどして騒ぎ立てた。これについて、前出の甲氏の兄を名乗り神真都Ｑの一員とされる「甲兄」が、ツイッターでこう発言した。

「ナイスＱ静岡神真都Ｑ」

都内用のＯＰでは、メンバーがこんな投稿も。

ここ数日で低年齢の接種が始まり、このまま手をこまねいて見ている事はすごく悔しいです…何とか早く接種会場を閉鎖に追い込んだり東京でもできないでしょうか

3月15日には、接種会場となっていた東京ドームに「反ワクチン」集団がおしかけ入り口を塞ぐなどして警官隊から排除される騒ぎが起こった。現場に居合わせた人がツイッターに投稿した動画

や写真には、イチベイ氏らしき人物の姿が確認できる。イチベイ氏はこの騒動の2日前、フェイスブックに東京ドームの写真と接種スケジュールの画像を添えて「火事と喧嘩は江戸の華」と投稿。「襲撃」当日には「任務開始！！！」とも投稿している。さらに神真都Qの福岡や沖縄のOCでも、メンバーたちが接種会場襲撃を匂わせる投稿をしている。

OC内に批判的な意見が全くないわけではない。しかし会内での相互批判が事実上タブーとなっており、和を乱す者や「闇側の工作員」とみなされた者はOCから退会させられる。また過激な活動等に批判的なメンバーにも、それについて議論を戦わせることを嫌い、批判的な捨てぜりふを残して自主的に退会する人が目につく。主要幹部に煽られ過激な発言や行動に走るメンバーが、OCを通じて事実上の主導権を強めていくという構図だ。

神真都Qは3月29日にも、接種会場となっていた新宿区の施設で接種を妨害。4月7日にも、渋谷区内のクリニックを同様に襲撃した。この渋谷区の事件で、警視庁公安部によってメンバー4人が建造物侵入容疑で逮捕されたほか、4月20日になって同容疑でリーダーのイチベイ氏も逮捕。以降も、神真都Qのデモが開催される直前になると公安部がメンバーを逮捕、再逮捕するというサイクルで、東京ドーム事件や新宿区の事件も含めて計13人が逮捕された。うち、少なくとも6人が起訴され公判が続いている。

また神真都Qのユーチューブ・チャンネルでは、2月末からイチベイ氏が「Q村興し」「エデン作り」として土地を取得するための寄付金集めを告知。すでに農家から土地の提供も受けたようだが、それ以外にも複数の「Q村」を作るとしている。

紙幣価値はこれからどんどんなくなりますが、こうやって植物を植えて一度作ってしまえば、ずっと食物が育ち続けるということで。そういうことを各地域、全国47都道府県に神真都の村を作っていきますので、皆さんよろしくお願いいたします。（ユーチューブ動画より）

実家を「Q村」用に供出すると申し出ていると私に語ったメンバーもいる。神真都Qに専念するため仕事を辞めたことをSNSでアピールしているメンバーもいる。神真都Qが向かう先は「ネット上のつながり」にとどまらないリアルな、そして過激なコミューン運動のようだ。

しかし前述の逮捕者続出以降、神真都Qは大量の脱会者が出て急速に弱体化。全国にあったデモ隊の多くが解散した。イチベイ氏も公判で脱会を表明した。わずかに残る残党が月1回ペースで都内含め一部で小規模なデモを繰り返す程度になっている。

多くのOCが閉鎖されたが、その直前には、参政党を支持する投稿が散見された。2022年参院選で1名の当選者を出した、反ワクチン政党である。

## ロシアのウクライナ侵攻と陰謀論

2022年2月24日。ロシアがウクライナへの侵攻を開始した。旧「西側」諸国だけではなく、EUやNATOに加盟する旧「東側」もロシアを非難し、欧米に日本も加わってロシアへの非難と経済制裁を展開した。ロシア国内ですら、反戦を訴え路上やSNSで意見表明する人々が現れている。

神真都QのOCでもウクライナ侵攻は話題になった。しかし「西側」や反戦を訴える人々とは、見えている世界が違う。

プーチンさんはトランプさんが言ってた通り天才です！

ウクライナとの戦いはDS（ディープ・ステート＝筆者注）との戦いです！

私はウクライナでの戦争をプーチン対ロスチャイルドという視線で見ています。西側のメディアはプーチンは悪でしか報じていませんね。ウクライナはDSの巣窟でプーチンがDSと闘ってロシア人を開放しているというのに。

バイデンの息子がウクライナのガス会社の役員で、高額な報酬を受けていて、DSの手先のバイデンはなんとしてもウクライナを手放すことができない深い闇があるんでしょうね。

ウクライナ軍の流している映像は、全てフェイクの映像だったです

ウクライナは、オバマたちが作ったDS組織でプーチン大統領が叩いてる。次は、台湾で

ポンペイオが訪問。マスコミが大騒ぎするはずです。DSを三週間で終わらせる⁉　CPACでのトランプ大統領の演説は、コレか⁉

「引き寄せの法則」というスピリチュアルなセミナーを主催する佐野美代子氏のブログをOCでシェアしたメンバーもいた。


ウクライナはdeepステートが自分たちのために作ったような国です。

人身売買、武器な（原文ママ）麻薬の密輸、資金洗浄など好き勝手をしてきました。

豊富な天然資源もあります。そして、売電やクリントンの資金源であり、多くの政治家を買収しました。

〔…〕

攻撃と言ってもDSの基地を爆破しているだけです。

世界中にに（原文ママ）ばら撒く予定だった生物兵器の研究所とかです。

そして、プーチンはそこの人々を解放しているのです。

すべて計画通り。

ウクライナの下はすごいトンネルがあります。子供たちや人身売買の震源地です。

最終戦争です。（佐野美代子氏のブログ『ザ　シークレット　宇宙の真実』より）

彼らにとって、トランプが評価しているプーチンは、ＤＳに支配されたウクライナを含む西側諸国の政府やメディアと戦うヒーローなのだ。

こうした論法は神真都Ｑだけのものではないようだ。鳥海不二夫氏（東京大学大学院工学系研究科教授）が２０２２年3月7日、ヤフーニュースに「ツイッター上でウクライナ政府をネオナチ政権だと拡散しているのは誰か」と題する記事を掲載した。ウクライナ侵攻関連のツイートについてのクラスタ分析である。

この中で鳥海氏は、「ウクライナ政府はネオナチである」というロシアの主張を拡散しているツイート群を拡散しているアカウントの46・９％が、Ｑアノン関連のツイートも拡散していたと指摘している。また、このクラスタの87・８％が反ワクチン関連ツイートを拡散しているという。

ただし反ワクチン関連のアカウントの96％は「ウクライナ政府はネオナチである」という主張の拡散はしておらず、この主張を拡散しているのは反ワクチンクラスタそのものではないという。とは言え、「ウクライナ政府はネオナチである」とＱアノン・反ワクチンという主張との親和性が、極めて高いことがわかる。

Ｊアノンの一勢力として前述した幸福の科学も、大川隆法氏がロシアのプーチン大統領やウクライナのゼレンスキー大統領の守護霊を呼び出しインタビューしたと称して、その内容を緊急出版した。ＤＳ云々という陰謀論ではないが、プーチンを、エル・カンターレ（幸福の科学における地球至高神である大川隆法氏のこと）を称える「光の天使」の陣営と位置づける内容だ。同書が出版された直後の3月11日、幸福実現党は声明を発表した。

ウクライナ政府がこれ以上、欧米や日本を巻き込んで戦おうとすれば、ウクライナでの火種は「世界大戦」へと発展します。ウクライナはこうした「越権行為」を改めるべきです。ウクライナ政府は抵抗の砲火を止めて、ロシア側が停戦条件の一つとしている現政権の退陣に応じ、新しい親露派政権の下、ロシアとEUと中立の姿勢を取って存続できる道を取るべきです。

侵攻に対するウクライナ側の防衛戦や他国への支援呼びかけを「越権行為」と呼び、ロシアの要求に従うことを求めている。統一教会は『世界日報』の社説でロシアを批判しており立場が異なるが、それ以外のJアノンは概ねロシア寄りだ。

メディア等では、ウクライナ侵攻をめぐって「第二次冷戦」という言葉も見られる。しかしオカルトやスピリチュアルを拠り所とするJアノンたちにとって、これは「光側」であるロシアと「闇側」である西側諸国との「霊戦」なのである。

# 第5章　ＬＩＨＫＧとは何か
## ——匿名掲示板と香港デモ

石井大智

## はじめに

本章が考察するのは２０１９年以降の香港の一連の社会運動において香港の匿名掲示板であるＬＩＨＫＧ（通称、連登（りんだん））がどのような存在だったのか考察するものである。本章は、まず香港デモの特性とソーシャルメディアの使用について簡単に説明した後に、香港のネット空間の特性と匿名掲示板の歴史を述べる。その後に、香港デモにおいてＬＩＨＫＧがどのように使用され、またＬＩＨＫＧがどのような社会的存在だったのか具体的事例を通して考察する。

## 1　分散型デモとソーシャルメディア

香港は2019年から2020年にかけて逃亡犯条例修正反対運動に端を発する大規模な社会運動を経験した。この条例修正は中国本土で被疑者とされた人物を香港から中国本土に引き渡すことが可能になるもので、香港の「中国化」に対し反感を持つ人々を中心に反対の声が上げられた。この条例修正に反対する運動は「中」国に「送」られることに「反」対するという意味から「反送中」と呼ばれているが、長期化した抗議活動においてはデモ参加者の要求は「反送中」からかなり拡大しており、本稿では2019年6月以降に大規模化した香港における一連の社会運動を総称して便宜的に「香港デモ」と記す。香港は2014年の雨傘運動をはじめこれまでいくつかの大規模な社会運動を経験してきたが、本稿は特筆しない限り2019年6月以降のデモについて主に触れる。

この条例修正への反対運動は普通選挙の実現なども含んだ「五大訴求」という形でアジェンダを拡大し、長期的かつ過激な反体制運動へと変化していった。2020年以降の新型コロナウイルス感染拡大と2020年6月の香港国家安全法（香港国安法）施行により路上でのデモは落ち着くことになったが、香港の人々の政治意識やアイデンティティに大きな変化をもたらす事件となった。

この2019年6月以降の香港の社会運動は「リーダーなきデモ」として知られている。これは、明確な指導者がおらず、ネット上でデモの戦略・方向性が話し合われて進行した社会運動と一般に認識されていることを意味する。もちろん社会運動の中で影響力を持つ団体・人物はいるが、その団体・人物が社会運動全体に影響力を与えているとはいえない。形式上、警察に対し路上や公園でのデモの「主催者」として申請した人物・団体は存在するが、実際そのデモに集まってくる人々はどこの人物・団体が主催しているか意識していないし、実際にそれぞれの団体や人物に無関係の人々がデモに集まっていた（そもそも警察の許可を取らずに実施されたデモも多く、そうなれば書類上の「主催者」も存在しない）。

いわば「中央集権型」ではなく「分散型」のデモだったと言えるわけだが、反体制運動におけるプレイヤーはどのように情報共有と意見調整を図っていったのだろうか。これは**反体制派が共有していたマインドとソーシャルメディアの積極的活用**によって説明できるだろう。

まずマインドの面について。反体制派の中には親中派と見なされた店舗の破壊など暴力的な抗議活動を辞さない「勇武派」と呼ばれる人々から、平「和」的・「理」性的・「非」暴力的抗議活動のみを容認する「和理非」と呼ばれる人がいる。さらに中国全体の民主化を目指す「伝統民主派」と呼ばれる人々は一般に自身のことを「中国人」だと思っているが、中国と香港は相入れないものだとして香港独立を主張する「独立派」や香港アイデンティティを強調する「本土派」と呼ばれる人は自らを「中国人」とは異なる「香港人」と位置付けるなど、反体制派の中の人々はアイデンティティまで異なっている。

これほどまでに多様な人々が団結できたのは、反体制派が雨傘運動後分裂してきたことへの反省から「不割席」（中国語で「分裂しない」の意）をスローガンに分裂しないことが呼びかけられたからだ。雨傘運動の失敗は「民族主義的な香港ナショナリズム」を強調する本土派と「グローバルで普遍的な価値」を重視する自決派の間の分裂を引き起こしたが、「反送中」以後は反体制派の中で「やり方に同意できなくとも分裂しない」ことが強調された。このことで反体制派の中で相互批判は難しくなり、結果として団結が図られたと言えるだろう。

この「分裂しない」というマインドはソーシャルメディアの存在と大きく関わっている。ソーシャルメディアは「不割席」というマインドを反体制派の間で広めると同時に、「不割席」のスローガンによって意見の違いが「隠蔽」されていたからこそ意見対立が表面化しなかった。だからこそ、ソーシャルメディア上で意見調整と情報共有が大きな対立なく実行され、ソーシャルメディアが「分散型」デモの基盤となったと考えられる。

ちなみに大前提として香港国安法施行後も含めて香港政府は大きなネット規制をしていない。住所をはじめ親中派とされた人々の個人情報を公開している「香港編年史」（HKクロニクルズ）が香港から利用できなくなったり、一部のテレグラムチャンネルが香港警察によって削除されたりしたケースはあるが、それでも中国本土のようなネット規制からは程遠い。日本と同様のSIMカードへの実名登録義務化が始まったのも2021年9月とかなり遅い。

LIHKGはDDoS攻撃によってサイトが落ちることはあった。例えば、LIHKGは2019年8月31日の朝から夜にかけて15億回近いDDoS攻撃を受けた。最大で毎秒26万回の攻撃を受け、一部のユーザーはRedditやツイッターに一時的に避難した。しかしその後もLIHKGはオフィシャルな規制は一切受けていない。香港デモがどれだけ過激化しようとも香港政府はネット環境への干渉を強めなかった。その理由は分からないが、とにかくこのような香港政府の姿勢も分散型デモを拡大させた一つの要因だろう。

## 2 それぞれのソーシャルメディアとＬＩＨＫＧ

ソーシャルメディアはこのようにして「分散型」デモの基盤としてあり続けたわけだが、一つのソーシャルメディアだけが使われたわけではなく、フェイスブック、インスタグラム、ツイッター、ワッツアップ、テレグラム、そして今回取り上げるＬＩＨＫＧのようにかなり幅広いプラットフォームが有機的に使用されていた。ただ、それぞれのソーシャルメディアは利用者層やアーキテクチャー（設計）が異なるので、香港デモにおいてもそれぞれが異なる機能を果たしていた。

例えば、若年層の利用が比較的多いインスタグラムでは、各中学（日本の中学・高校にあたる）の生徒会によるデモ参加を呼びかけるアカウントが多く開設されていた。「チャンネル」機能によって多数の人にリアルタイムで情報を伝えることに向いているテレグラムは、デモの最新ニュース配信によく使われていた。一度送ったメッセージも簡単に消すことのできるテレグラムやシグナルは、違法行為も含めたデモの戦略作りの話し合いによく使われた。ツイッターは当初ジャーナリストや著名人の使用が中心だったが、その後国際社会にデモ支持者側の主張を伝えようとする人々が流入し、香港の外の人へ向けた発信が多言語でなされた。

ソーシャルメディアだけではなくデモのために開発されたツールも少なくない。香港警察の位置や催涙弾の使用などがリアルタイムでわかる「HKmap.live」はその一つだ。このアプリは一度アップルストアから削除されたことがある。その他にも、飲食店や小売店を色によって分類し、各店舗の政治的立ち位置が地図でまとめて見ることができるウェブサービスなどがあった。

香港デモではこのような多様なオンラインサービスが使用されていたわけだが、その中でも**LIHKGは香港デモにおいては特別な位置にあったように見える。**まず、LIHKGは後述のように英語圏・中国語圏に開かれた香港のネット空間において、香港のみを主に対象としたオンラインプラットフォームという点で特殊だ。

加えて、LIHKGは匿名掲示板にもかかわらず香港デモで大きな存在感を持つようになった。例えば、2019年7月1日に最も民主派寄りの香港紙のアップルデイリー（その後、廃刊）が行った世論調査では、回答者の55%がLIHKGを香港デモで最も影響力のあるメディアとみなしていた[1]。また、グーグルが発表した2019年の検索ランキングで「LIHKG」は第一位だった[2]。

香港中文大学でジャーナリズムなどを専門とする李立峯（フランシス・リー）教授らの研究グループは、香港デモでどのような情報源を参照しているかデモ参加者に聞いている。2019年7月1日の調査では、情報源として最も利用されているのはオンラインメディアとフェイスブックで、次いで伝統的メディア（テレビ・新聞など）、ワッツアップ、LIHKGの順だった。同年7月21日の調査ではLIHKGの利用が伝統的メディアを超え、調査データが公開されている9月末までこの傾向は続く[3]。匿名掲示板が伝統的メディアを超えて参照されていたというデータもあるのだ。

このように反送中以後存在感を増したLIHKGはネットユーザーに限らず幅広い反体制側・体

制側の人々に意識・言及される存在となった。ＬＩＨＫＧが香港デモの中でどのように機能したか考えるには、実際にどのように使われていたかだけではなく、ＬＩＨＫＧがどのように香港デモを取り巻く人々に認知されていたのか、すなわちＬＩＨＫＧがどのような社会的存在・シンボルだったのか考察することも必要だろう。本章はこの両者に触れながら、匿名掲示板と社会運動の関係性の一例としてＬＩＨＫＧと香港デモを見ていきたい。

## 香港におけるネット空間とＬＩＨＫＧの歴史

本節ではＬＩＨＫＧがデモでどう使われたか説明する前に、その前提条件となる香港のネット空間の特性とＬＩＨＫＧの歴史・アーキテクチャーについて説明したい。

### 1　香港のネット空間

**香港のネット空間は英語圏と中国語圏のグローバルなネット空間と言説を共有しながらも、香港独自の言説空間も有している**ことが特徴的だ。

香港の若年層の多くは（書き言葉としての）英語と中国語を理解するので、ネット上でも英語圏と中国語圏の情報が流通することになる。英語圏のコンテンツに影響されやすいのは香港に限った話ではないのでここでは詳しく説明しないが、後者については少し説明が必要だ。

「中国語圏のネット空間」と言っても、そのネット空間は一体化しているわけではない。中国本土（大陸）ではいわゆるグレートファイアウォール（金盾）によってネット空間が厳しく統制されており、台湾をはじめとしたそれ以外の中国語圏のネット空間と一定程度分離されている。

香港のネット空間はその両方との強い関わりを持つ。ソーシャルメディアにおいては、ツイッターに類似した短文投稿サイトである新浪微博（Sina Weibo）やＬＩＮＥに類似したメッセージアプリである微信（WeChat）など中国本土で主に利用されるサービスを使うユーザーは少なくない。一方で同じ繁体字中国語を使う地域として台湾のコンテンツが参照されることも一般的で、中国本土では利用できないフェイスブックやYouTubeといった西側のソーシャルメディアやニュースサイトなどを通して台湾と香港のネット空間はお互いに影響を与え合っている。台湾の大学生の多くが利用するソーシャルメディアであるＤｃａｒｄのように、台湾から香港へ拡大したサービスもある。

このように香港は他の地域のネット空間に影響されやすい立ち位置にあるわけだが、一方で香港から広がり得ないような独自のネット空間も確立してきた。香港、台湾、中国本土は社会制度が大きく異なるので当然話題にできるトピックは異なるという理由もあるが、もう一つは香港のネット空間で台湾や中国本土の人々には読めないような「書き言葉」がしばしば使われたからである。

新聞や政府文章など正式な場で使われる書き言葉の「中文」は香港、台湾、中国本土の間でさほど差異はない。一方で、ソーシャルメディアや匿名掲示板においては香港で日常的に使用される広東語の話し言葉の単語・文法がそのまま書き言葉としても使われてきた。書き言葉の「中文」と話し言葉の広東語は、日本語の「標準語」と「方言」よりはるかに差異が大きいものであり、「中文」が分かるからといって話し言葉の広東語を記したものが分かるとは限らない（広東語を表記するための独自の漢字も「方言字」として存在する）。広東語の表現が多用された文章を台湾・中国本土の人々が理解することは困難であり、結果としてそのようなコンテンツは香港で生まれ主に香港でのみ消費されるようなものとなった。

香港は英語圏・中国語圏のネット空間に影響されやすいものの香港独自のネット空間が発生し得る土壌があったからこそ、香港の人口がそう多くないのにもかかわらずこれから取り上げるＬＩＨＫＧをはじめとした独自の匿名掲示板が生まれたと言える。

## ２　ＬＩＨＫＧが生まれるまで

次に簡単ではあるが香港の匿名掲示板の歴史について触れたい。ＬＩＨＫＧ登場前は２０００年初頭に登場したHKGolden（高登討論区）が香港で主流のインターネット掲示板だった。高登とはさまざまなＰＣパーツやガジェットを販売する香港の雑居ビルの名称であり、HKGoldenは当初コンピューター関係の話題を中心としていた。徐々に話題はあらゆるテーマに拡大し「音楽台」や「娯楽台」なども設けられ総合掲示板へと発展した。

HKGoldenも後のＬＩＨＫＧと同様に反体制的運動・言説の拡散の場となることがあった。例えば、２０１１年に香港政府が小中学校に中国への愛国教育を導入しようとした際に起きた反対運動においては、運動の中心となる中学生などの団体の「學民思潮」はHKGolden上にもアカウントを有し、他のユーザーと共に反対運動を広げようとしていた。
HKGolden は公式のウェブサイトの使い勝手が良くなかったため、HKGolden への書き込みを見るための多くのサードパーティアプリが流通していた。しかし、HKGolden は自サイトへの直接のアクセス減少を問題視してサードパーティアプリをブロックするようになった。２０１６年にｉＯＳ唯一の HKGolden 閲覧アプリ「ＨＫＧ＋」がブロックされたことはネット上で波紋を呼び、新しい掲示板サイトを作るべきではないかとの声が上がった（ちなみに HKGolden の運営会社の社長はアップルデイリーの取材に対し、あくまで規約違反を理由にブロックしたと回答している）。
この「ＨＫＧ＋」や Android 向け HKGolden 閲覧アプリの「LIHK HKGolden」関係者が集まってリリースされたのがＬＩＨＫＧである。このような経緯から２０１６年11月にｉＯＳアプリ、Android アプリが先にリリースされ、ブラウザ版よりも先にモバイルアプリ版が公開されている。HKGolden はＬＩＨＫＧを当初敵視しており、ＬＩＨＫＧを支持や宣伝するコメントをしたユーザーを次々と追放したが、この時に HKGolden からＬＩＨＫＧに移ったユーザーは少なくないと見られ、ＬＩＨＫＧは二次創作やドキシング（個人情報の暴露）など HKGolden の文化を一部引き継いでいる。
ちなみに HKGolden はその後も存続しているが、後述のように２０１９年からのデモではＬＩＨＫＧほどの影響力を持つ匿名掲示板とはならなかった。２０１０年以降日本ではミクシィが運営するソーシャルメディアである「ｍｉｘｉ」や2ちゃんねるからユーザーが離れてツイッターなどに移行したが、香港ではＬＩＨＫＧからユーザーが離れてツイッターに移行するという動きは起きていない。香港デモにおいてツイッターはあくまでジャーナリストや民主派を支持する人々が対外的に発信するツールとして使われ、しかもそのつぶやきのほとんどは中国語ではなく英語だった。

## 3　LIHKGのアーキテクチャー

前節で述べたように、一言で「匿名掲示板」といってもアーキテクチャーはそれぞれ異なり、その違いがユーザーの動きの違いをもたらすので次にLIHKGのアーキテクチャーについて簡単に触れたい。

LIHKGの閲覧は誰でもできるが、書き込みには登録が必要だ。2022年3月までは香港のプロバイダーか大学が発行したメールアドレスでしか登録できず、結果として香港以外からの書き込みは制限されていた。現在はどのメールアドレスでも登録可能で、逆にこれらのメールアドレスでの登録は推奨されていない。特にこの理由は発表されていないが、香港政府がネット上の書き込みに対して厳しい姿勢を取ったり、元々香港に住んでいた人々が多く海外に移民したりしていることが背景にあると考えられる。

したがって「匿名掲示板」であるとはいえユーザーは同一性を有しており、同じアカウントを使っている限りそのアカウントの所有者がどのような書き込みをしてきたのか追うことはできる。ただし、ほぼすべてのユーザーが偽名を使っており、お互いの所属や経歴は明らかにしないのが一般的だ。

さらにＬＩＨＫＧにおいては他のユーザーをフォローする機能は存在しない。フェイスブックはページ等に「いいね」を押し、他のユーザーと「友達」として繋がることで何らかの団体・人物をフォローし彼らが発信する最新情報を得るように設計されている。同様にツイッターもフォローを通して他のユーザーと繋がるように設計されている。

ＬＩＨＫＧはユーザー登録が必要なのにもかかわらず、個々のユーザー同士を繋ぐような設計が一切されておらず、特定のユーザーの動きを公式の機能で追うことはできない。フェイスブックやツイッターほどはユーザーそのものが目立つ設計になっておらず「誰が発言しているか」についての関心が払われにくい設計がされている。

ＬＩＨＫＧは英語圏で主に利用されている匿名掲示板のRedditと比較されることがある。それは両者とも書き込みのためにはアカウント登録が必要でありながら最低限の情報だけ登録すればいいなどの共通点があるからだと思われるが、ＬＩＨＫＧはRedditのようにユーザーが自身の人気や信頼性を示すことのできる仕組みは全くない。

Redditではそれぞれの投稿やコメントに対し肯定・否定の投票をすることが可能で、その投票結果は「カルマ」というポイントとして各ユーザーのページに表示される。ＬＩＨＫＧにおいても同様の投票が可能だが、ユーザーそれぞれがどれだけの評価を得たのかは分からない。公式には影響力のあるユーザーが可視化されないのだ。

したがってＬＩＨＫＧはユーザー登録が必要で、そのユーザーが過去に何を書き込んできたかまでは確認できるが、ユーザー同士を結びつける機能はないし特定のユーザーの影響力を可視化する機能もない。2ちゃんねると同様に「誰が書いたのか」はさほど重要視されないような設計ではあるものの、書き込みのためには必ず会員登録をしないといけないのでなりすましは難しい。かつては会員登録の際に使用できるメールアドレスが限定されていたことから一人でいくつものアカウントを作成する自作自演も難しかった。

次節ではこのようなＬＩＨＫＧのアーキテクチャーを前提に香港デモでのＬＩＨＫＧの使用について具体例を挙げて分析する。

## ＬＩＨＫＧは香港デモでどのように使われたのか

反送中に対するＬＩＨＫＧユーザーの動きは国際社会で逃亡犯条例修正案が本格的に話題になる２０１９年６月９日のいわゆる「１００万人デモ」以前からあった。２０１９年５月20日には「在沉默中爆發」というＬＩＨＫＧユーザーの呼びかけで10人ほどが集まって街頭でビラ配りを行っている。

これを皮切りにＬＩＨＫＧは香港デモにおける情報共有や活動への参加呼びかけに多く使われるようになった。この節ではデモにおいてＬＩＨＫＧが具体的にどのように使われたか具体例を挙げて議論したい。両者は厳密に区別できるものではないものの、便宜的に「情報発信・議論・意見表明」と「具体的活動への参加呼びかけ」に分けていくつか例を並べる。その後、どのような人々がＬＩＨＫＧを使っていたのか考察する。

## 1　情報発信・議論・意見表明の場として

### ①デモの方向性を議論する場として

2ちゃんねると同様にニュースサイトなどから時事ネタを転載し、それに対して各ユーザーがコメントを付けていき議論を形成していくことがＬＩＨＫＧにおいても一般的だ。反送中以前からも存在したが、反送中以後より多くのスレッドでより多くのニュースが語られるようになった。

２０１９年６月９日には反送中で初めての大規模デモであるいわゆる「１００万人デモ」が実施された。香港社会全体で逃亡犯条例修正案が重要なアジェンダとなり、ＬＩＨＫＧ上でも反送中の話題が急増した。このことを受けて、ＬＩＨＫＧの運営会社は「議論の場を提供する」として広告の表示を停止した。これはユーザーのアクセスが集中する中で表示する速度を早めるためである。またそれぞれのスレッドに返信できる件数を増やした。

香港デモにおいてはニュースの密度が非常に高く、リアルタイムで様々なニュースが伝えられていた。それに合わせてＬＩＨＫＧでもリアルタイムのニュースに反応した議論が数多く行われた。例えば、香港政府は市民の政府に対する「誤解」を払拭することを目的にして「コミュニティダイアログ」という政府高官と市民が参加する公開座談会を２０１９年９月26日に開催した。政府のプロパガンダ目的と捉えた人々により、この座談会をボイコットすべきだとの意見もネット上で多く見られたが、公開座談会当日には多くのＬＩＨＫＧユーザーが生放送で座談会の議論を追いかけ、

500ページ以上(1ページあたりのスレッド数は概ね25である)の議論が交わされた。

具体的なデモ手法についての議論の場になることもあった。6月26日に民間人権陣線が主催したいわゆる「200万人」デモの後には「翌日まで滞在して警察本部を包囲しよう」との呼びかけがネット上で見られたが、LIHKG上では「現場に行かずに帰るように」という呼びかけがされた。実際に、香港警察はこの日の夜ペッパースプレーの使用、参加者の逮捕・勾留などそれまでにない激しい行動を取っている。

2019年8月8日に海港城というショッピングセンター内でのデモがLIHKG上で企画されていた。しかし、香港警察がショッピングセンター内に入ることを運営企業が認めないことが明らかになり、LIHKGユーザーがショッピングセンターを「デモ参加者側である」と好意的に見た結果デモが中止になった。

このようにLIHKGは2ちゃんねると同様にニュースが語られる場所ではあったものの、単なる体制側への批判の捌け口というよりかはデモの方向性を議論する場所として機能していたようである。李立峯教授らの研究グループによれば、2019年6月から12月のスレッドのうち香港政府、中国政府、警察など体制側に対する批判を含んでいたのは11・5%だった[3]。それよりもはるかに多い34・9%のスレッドが抗議者や著名人が取るべき行動の提案を含んでいる。

とはいえ、それはLIHKGが「建設的」議論の場となっていたことを必ずしも意味しない。後で詳しく述べるが、LIHKGはよりユーザーのアテンションを獲得しているスレッドがタイムラインの上位に配置され、より他のユーザーに見られるという仕組みになっている。ユーザーごとに表示されるコンテンツがカスタマイズされることはなく完全なるアテンション競争の環境になっている。結果として、過激な意見の方がユーザーの目に入りやすく、ＬＩＨＫＧでの過激な言説が香港デモを過激化させる影響を与えたかもしれないし、ＬＩＨＫＧは過激な発言が溢れるプラットフォームだという認識を世の中に広めたかもしれない。

### ②ドキシング

日本のツイッターと同様に、ＬＩＨＫＧはドキシング（個人情報をインターネット上で晒すこと）の場所として使われることもあった。ドキシングは広東語で「起底」と呼ばれており、反送中以前から香港のネット掲示板では一般的だった。HKGoldenでドキシングを行う人々は「起底組」と呼ばれ、時に社会問題となってきた。例えば、２００８年に発生した飲食店店員強姦殺人事件では、実際には犯人ではない人の個人情報がネット掲示板で拡散されるという事案があった。

香港デモが始まってからは香港警察や香港政府の関係者、さらにはその家族の氏名、住所などがＬＩＨＫＧ上で晒されている。例えば、２０１９年８月にはデモ参加者を制圧する部隊にいた女性警察官のインスタグラムがＬＩＨＫＧ上で拡散され、ＬＩＨＫＧ上だけではなく香港や台湾のネットニュースでも話題となった。

### ③意見表明と支持表明

香港デモに対する意見表明・支持表明がＬＩＨＫＧ上で行われた例もあった。複数のデモに関する情報や意見を発信するテレグラムグループが、２０１９年６月20日の17時までに香港政府が五大要求に応じなければ行動をエスカレートさせると発表した。同じ声明がＬＩＨＫＧ上で発表され、多くのユーザーの間で拡散された。

その後ＬＩＨＫＧでは「抗爭者致香港市民道歉聲明」（抗議者から香港市民に対するお詫び）というタイトルで声明が発表された。６月20日・21日にはデモ現場である香港島の中心部である金鐘（アドミラルティ）に行かないようにとの呼びかけがされた。この時の声明は「どうしても道を空けないといけない場合は言ってくれれば空けます」とも記載しており、比較的平和的・理性的な傾向を有していた。

２０１９年７月頃には、公務員から大企業の関係者までさまざまな座組みで香港政府や香港警察の行動を非難する公開書簡がＬＩＨＫＧ上に投稿された。各機関のＩＤカードをアップロードして所属を示しながらも名前は明らかにしない形式で、中には刑務所を所管する懲教署の職員によるものもあった。

## ２　具体的活動への参加呼びかけの場として

### ①デモへの参加呼びかけ

ＬＩＨＫＧは単にオンライン上の言説を作り出すだけではなく、オフラインでの動きにも大きく関わった。ＬＩＨＫＧ上ではデモへの参加の呼びかけはもちろん、ＬＩＨＫＧ上で結成されたとされる団体がデモを主催することもあった。

例えば、ＬＩＨＫＧユーザーの呼びかけで九龍側の尖沙咀でデモが２０１９年7月7日に実施され、主催者発表で23万人が参加したという例がある。それまでデモの多くは香港島で実施されていたが、中国本土からの旅行者に「香港価値」を見せるべきだとのネット世論が高まり、中国本土からの観光客が多い尖沙咀で実施されることになった。

２０１９年８月16日に実施された「英美港盟、主權在民」（英国・米国・香港同盟、主権在民）を主張する集会は香港の高等教育機関の学生会などで構成される「香港大專學界國際事務代表團」とＬＩＨＫＧ上で結成されたとされる「我要攬炒」というグループによって主催された。主催者発表で6万人が参加している。

### ②クラウドファンディングへの参加呼びかけ

ＬＩＨＫＧ上で呼びかけられたのはデモへの参加だけではない。クラウドファンディングの動きは特に目立った。２０１９年6月下旬にはＬＩＨＫＧユーザーがクラウドファンディングを実施し、ドイツの新聞に民主派の主張を伝える広告を掲載した。

２０１９年８月にはＬＩＨＫＧ上に集まったアートとデザインの愛好家によって「香港民主女神像」のデザインへの投票が実施され、６０００人近くが投票した。これは香港デモを象徴するような女神像をネットユーザーで作り上げようというプロジェクトである。８月27日に投票結果が確定し、その後わずか1日で目標の20万香港ドル（当時のレートでおよそ３０００万円）を上回る金額を集めた。この資金を使って1・6mと30㎝の高さの女神像20体が製作されることとなった。

実はクラウドファンディングが炎上したというケースもある。２０１９年6月下旬には荃灣關愛社區協會の社区主任である楊春橋が「ＬＩＨＫＧ」の名称を運営会社などに許可を取らずに勝手に利用して「LIHKG Party」という政党を立ち上げた。さらに、区議会選挙で民主派立候補予定者がいない選挙区に候補者を立てようとするクラウドファンディングを英国のクラウドファンディングプラットフォームである「gogetfunding」上で実施して炎上した。楊春橋はその後謝罪し、政党名を「HKG Party」に名称変更して集めた金銭を慈善団体に寄付すると発表した。「自己利益のために行動している」と見なされた人々が攻撃されるのは日本の2ちゃんねるとも類似点があるかもしれない。

### ③多様な活動への参加呼びかけ

デモやクラウドファンディングに加え、他にもより多様な形で反体制運動に参加するようにとの呼びかけもあった。その代表例が「黄色経済圏」だろう。これは「黄色」（香港デモを支持する人々）の人々がデモを支持する企業の商品を積極的に購入するなど消費選択を通して反体制活動をしようという呼びかけで、ＬＩＨＫＧも運動についての議論や拡散に大きく関わった。

２０１９年10月には「光時」というＥＣサイトが立ち上げられた。消費選択を通してデモ関係者の雇用を支えようというものだ。当時はまだ黄色経済圏という言葉は使われていなかったが、「香港で最も黄色のＥＣプラットフォーム」としてＬＩＨＫＧ上にスレッドが立てられた。香港政府が毎年運営している年越し市場に対抗して、反体制派の中で出資金を集めて市場を企画する「和你宵」計画などへの参加がＬＩＨＫＧ上で呼びかけられた。

このような黄色経済圏に関する活動では、ＬＩＨＫＧ上で２０１９年から広まっていた豚のキャラクターがよく使われた。この豚は「LIHKG Pig」や「連登豬」と呼ばれており、２０１９年が十二支で「猪」の年だったために豚が選ばれたのだと思われる（「猪」は中国語で豚のこと）。この豚はレノンウォールでもよく使われデモを象徴するキャラクターとなっていたが、黄色経済圏を支援するような飲食店はこの豚のスティッカーを店の入り口に表示し、街中でこの豚を見る機会が非常に多くあった。そこからもＬＩＨＫＧと黄色経済圏のつながりを窺える。

他にもＬＩＨＫＧユーザーによって「民間記者会」が組織されたこともある。２０１９年８月に香港政府と警察が政府側の主張を伝えるために毎日記者会見をすると発表したが、民間記者会はそれに対抗してデモ支持者側の意見をメディアに伝え「政府側の発信とバランスを取ること」を目的として組織された。さらに変わったものだと、広東語を漢字ではなくアルファベット表記で書き、広東語話者ではない「中国本土からのスパイが読めないようにしよう」という呼びかけもあった。他にもデモに関する音楽やポスターデザインの共有なども積極的に行われていた。

## ３　どんな人々が使っていたのか

ここまでＬＩＨＫＧが香港デモにおいてどのように利用されてきたのか具体例を挙げてきたが、

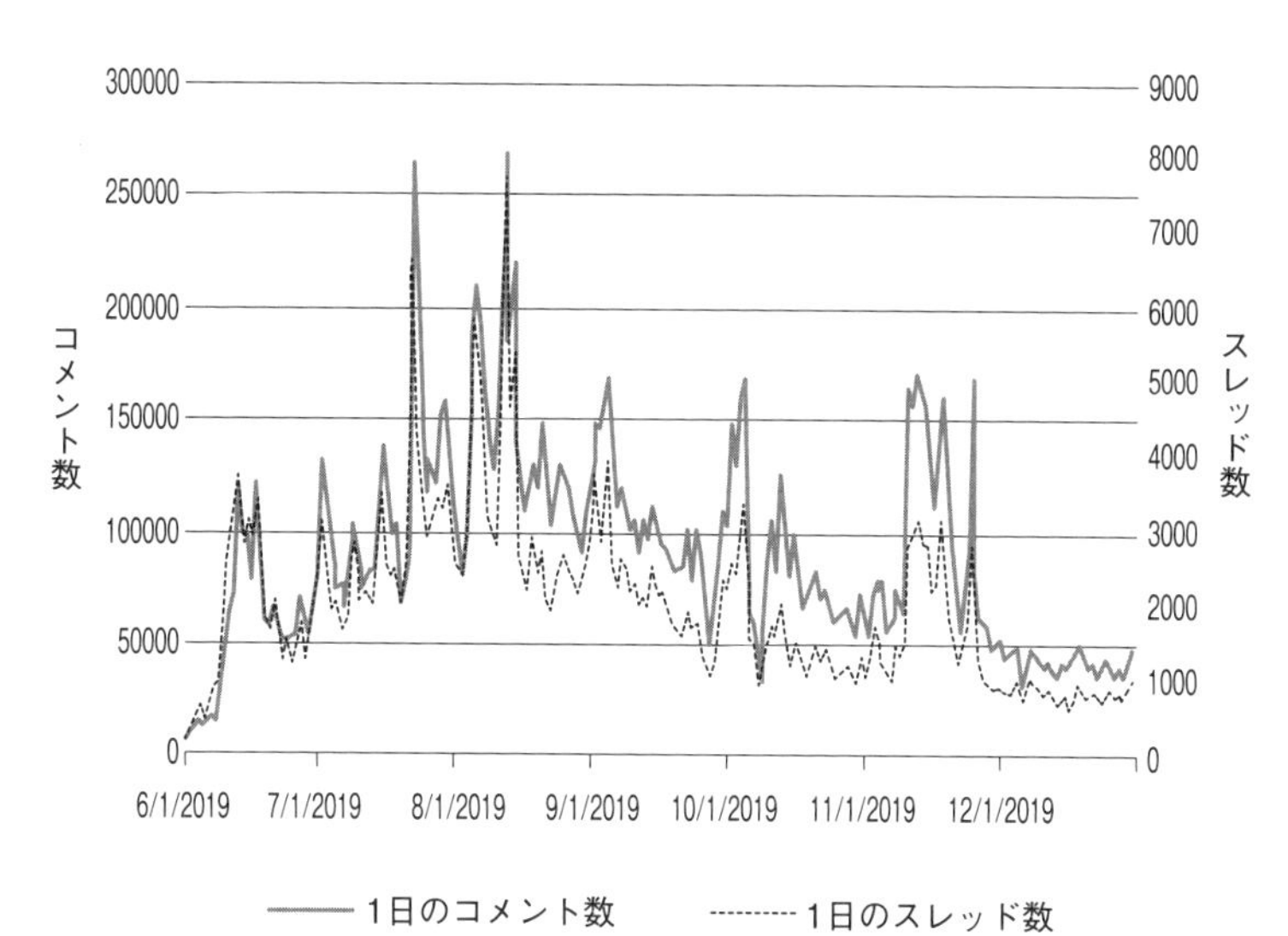


**図１**　LIHKGの１日のコメント数・スレッド数の推移（2019年６月１日～12月31日）。［３］をもとに作成。

このような出来事の具体例からどのような人々がＬＩＨＫＧを使っていたと考えることができるだろうか。

　この質問に答えることは容易ではないが、確実に言えるのは反送中が始まってからＬＩＨＫＧに流入したユーザーが相当多いということだ。李立峯教授らの研究グループによれば２０１７年１月から２０１９年５月に登録したユーザー数の月平均は３４３９人だった。しかし、２０１９年６月、７月、８月の新規登録者数は、それぞれ９７９１人、１４５１９人、１１８３２人であり、この３ヶ月だけで反送中前の10・５ヶ月分のユーザーの登録があったことになる[4]。

　先述のようにＬＩＨＫＧはフォローやグループ機能がなくユーザー登録で得られる機能がほとんどないので、書き込みをしないのであればユーザー登録をする意味がない。したがってこれらのユーザーは単にＬＩＨＫＧを読むためではなく議論や活動に参加するために流入したのではないかと考えられる。

量的なデータがあるわけではないが、それまでＬＩＨＫＧを使っていなかったような属性やイデオロギーの人々も数多くＬＩＨＫＧを使うようになったと考えられる。その結果、それまでのＬＩＨＫＧのような単なる体制側への不満・批判の捌け口に留まらず、デモに関して幅広い情報共有・議論・呼びかけが行われる場所になったのではないと筆者は推測している。

これだけ新しいユーザーが溢れたＬＩＨＫＧではあったが、全体としては破壊行為や暴力のような過激な行動を容認していたようである。李立峯教授らが実施した２０１９年７月１日のデモ参加者への調査結果によれば過激な行動を受容する度合いとＬＩＨＫＧの利用度は正の相関があるという。ＬＩＨＫＧの利用度は年齢や本土派（香港独自のアイデンティティを強調する人々）であるかどうかよりも過激な行動を受容する度合いをより説明できる変数であり、当時ＬＩＨＫＧを利用するかどうかとデモ中の破壊行為や暴力をはじめとした抗議者側の過激な行動の受容度に強い関わりがあることが示されている[3]。

この大量のユーザーの流入もあって、２０１９年６月以降スレッドが急増しており、７月半ばと８月半ばに増加はピークを迎えている。その後も従来よりもスレッド数は多いものの、香港デモが長期化したのにもかかわらずＬＩＨＫＧのスレッド数は落ち着きを見せ、７月半ばと８月半ばほどのスレッド数を有することはなかった[3]（図１）。

この理由を量的データで明らかにすることは難しいが、筆者は香港デモに関する議論に参加したい人々が当初ＬＩＨＫＧに流入したものの、テレグラムなど他のツールの普及によりＬＩＨＫＧを使わなくなったことに理由があるのではないかと推測している。後述の通り、ＬＩＨＫＧは元々情報共有や建設的議論に向いている設計ではないために、よりそれらに向いているＳＮＳにユーザーが移っていたと考えられる。

## ＬＩＨＫＧは香港デモの中でどう語られる存在だったのか

前節ではＬＩＨＫＧがどのように利用されたかを議論したが、本節ではＬＩＨＫＧがどのような社会的存在になっていたのか議論したい。つまり前節では香港の人々がＬＩＨＫＧをどう使っていたかを議論したが、本節では香港の人々がＬＩＨＫＧをどのように語っていたのか議論する。

前節だけ見るとＬＩＨＫＧは香港デモの中で非常に大きな影響力を持っていたように思える。しかし、ＬＩＨＫＧは実際の影響力とはまた別に香港デモの「象徴」となっていったのではないかという問題提起をすることで、「ＬＩＨＫＧが分散型デモの重要なプラットフォームとなった」という言説の相対化を試みたい。

### 1　「デモ参加者」の象徴とされやすいＬＩＨＫＧ

「リーダーがいない」とされるデモの中においてはデモの動きを語る上で「リーダー」の発言を

引用することができない。また、特に違法なデモとなれば街頭でのインタビューも容易ではない。そのため、ＬＩＨＫＧ上の投稿はデモ参加者を代表する声としてメディアに取り上げられやすかった。デモ参加者やＬＩＨＫＧユーザーをどの程度代表するかに関係なく、メディアは特定の書き込みを切り取ってネット民や若年層の抗議者の声として報道してきた。

ＬＩＨＫＧがデモ参加者の象徴としてしばしば扱われたのはこのようなメディアの影響もあるもののおそらくメディアだけが理由ではない。「ＬＩＨＫＧがデモの方針を決めていくプラットフォームである」と認めることは、メディアのみならず香港デモ支持者の人々と体制派の人々両方にとって自身の主張を強化する上では好都合だったように思えるからだ。

まず、香港デモ支持者にとってはＬＩＨＫＧで議論が展開されていることは「デモが民主的プロセスで理性的に実施されている」ことを示すことになる。

一方で体制側にとっては、ＬＩＨＫＧで議論が展開されデモが実施されているとなれば「ＬＩＨＫＧのような無法地帯で活動するような人々がこの暴力的なデモを動かしている」と主張できるので好都合だ。中央政府の香港出先機関である駐香港特別行政区連絡弁公室と資本関係を持つ香港紙の「大公報」と「文匯報」はしばしばＬＩＨＫＧが「暴徒」を生み出しているかのように報道している。

体制側がＬＩＨＫＧを批判する際に代表的に持ち出すのが太子駅事件についての「フェイクニュース」だ。これは２０１９年８月31日にデモ参加者などが警察に太子駅構内で制圧された事件で、香港政府が設置したＩＰＣＣ（警察苦情処理独立委員会）の調査によれば「死者が出た」との噂が最初に出たのはＬＩＨＫＧとされ、その後一部のデモ支持者の香港警察やＭＴＲ（香港の都市鉄道運営企業）への憎悪が深まり鉄道駅での破壊行為が相次いだ。その後も主にＬＩＨＫＧでこの噂は拡散されたが、死者の存在について明確な証拠はその後も出ていない。このＩＰＣＣの報告書はネット掲示板を「今後のデモの原動力」と結論づけており、ＬＩＨＫＧの影響力を認めている。

ちなみに、日本では「2ちゃんねる」上の書き込みについて公人が関心を示し感想を述べるというのは想像しにくいが、香港では時たま起こる現象だ。例えば、聶徳権（パトリック・ニップ）政制及内地事務局局長（中国本土との関係を扱う重要な「局」の長で、日本で言う一省庁のトップであり「大臣」に近い）は２０１９年９月に自身のフェイスブックに「ＬＩＨＫＧなどのオンラインメディアを普段から見ている」と書き込んでいる。これはその前日に開催された「コミュニティダイアログ」（先述）において「行政長官や政府高官はＬＩＨＫＧを訪れて若者の意見を理解すべきだ」という発言をした市民に対するものだ。実際に政府がＬＩＨＫＧ上の噂を否定する声明を出すということはあったので（例えば２０１９年７月にあった中国本土から香港への新移民が2倍になるという噂を日本の入管にあたる入境処が否定した事件）、政府自身が何らかの形でＬＩＨＫＧを確認している可能性は高そうだ。

譚恵珠（マリア・タム）基本法委員会副主任（香港の「憲法」にあたる香港基本法を扱う全国人民代表大会常務委員会の下に設置されている委員会）は、２０１９年７月に香港の公共放送であるＲＴＨＫ（香港電台）の番組内で「香港人の若者の多くがＬＩＨＫＧばかりを見て（中央政府で香港・マカオ事務を所掌する）国務院香港マカオ事務弁公室の発言を見てくれない」と発言している。たとえＬＩＨＫＧがなくとも中央政府の意見に当時の香港の若者が積極的に耳を傾けるとは思えないが、両者を対比したのはそこまでも彼女が香港の若者がＬＩＨＫＧに影響されていると思っていたことを示すものであろう。

２０２２年１月には体制派の梁振英元行政長官が民主派であり英国に亡命した羅冠聰（ネイサン・ロー）元立法会議員について執拗に言及していることについて「梁振英は羅冠聰のことが好きなのではないか」とネタにするスレッドがＬＩＨＫＧ上で立てられたが、梁振英自身も（ＬＩＨＫＧでネタにされていることについて）「触れずにはいられない」と言及。体制派の代表格がＬＩＨＫＧを確認していることで、ＬＩＨＫＧ上でさらなる話題となった。体制側にとってもＬＩＨＫＧは無視できない存在となっているのだ。

とにかくデモ支持者と体制側の両者にとってＬＩＨＫＧがデモの方針を決めていくプラットフォームだと認めるモチベーションが存在する。しかし、実際その検証は難しいし、それは過剰評価の可能性が高いのではないかというのを次に述べたい。

## ２　ＬＩＨＫＧの実際の影響力

ＬＩＨＫＧの実際の影響力を測るのは難しい。というのは、香港デモにおいてはＬＩＨＫＧが単独で存在していたわけではなく異なるプラットフォームが有機的に繋がって運動に影響を与えていたからだ。例えば、テレグラムで話し合われたデモの計画がＬＩＨＫＧ、インスタグラム、フェイスブックで拡散され、その映像が世界に対し多言語でツイッターやフェイスブックで拡散されるという状況があり得る。もしかすると、どのようなデモを開催するかについてのテレグラム上の話し合いはＬＩＨＫＧ上のネット世論を考慮したものかもしれない。

このように、ＬＩＨＫＧ上の言説がどこでどう影響したのか追跡するのは難しい。そもそもここまで述べてきたようなＬＩＨＫＧ発とされる出来事が本当にＬＩＨＫＧ発と言ってしまっていいのかは検証しようがない。非公開の空間で決まっていることはトラックできないからだ。

先述のようにＬＩＨＫＧは影響力の大きなオンラインプラットフォームとして扱われているわけだが、そもそもＬＩＨＫＧは他のプラットフォームに比べてデモについての情報共有と議論をする場所として本当に向いているアーキテクチャー（設計）なのだろうか。

ＬＩＨＫＧはアテンション競争に陥りやすいアーキテクチャーを有している。どういうことかというと、ＬＩＨＫＧではタイムラインの順番はそれぞれのユーザーに対してカスタマイズされることはなく、ただどれだけスレッドへの返信があるかで決まるからだ。一つのスレッドの「賞味期限」は非常に短く、新しいスレッドが生まれそこに返信が集まるようになったらすぐにタイムラインの下の方に移動してしまう。したがって、各スレッドは多くのユーザーの関心を引こうとアテンション競争することになるわけだが、そうなれば注目を集めようと過激なスレッドが増加するようになり、デモの方向性などについて落ち着いた議論をするのは難しい。

また、ＬＩＨＫＧではスレッドをクリックすると常に最初のスレッドが表示され、スレッドの最初の投稿のみが注目される傾向が強い。その後の返信にはあまり注目が集まらないので、連続した議論にはなりにくい。また、スレッドの返信が多いほどタイムラインで上に行く仕組みになっているので、スレッドの返信は単にタイムライン上でのそのスレッドの位置を上げるために使われることも少なくなく、意味のない「推」（スレッドを「上げる」という意味）とだけ書かれた返信が数多く見られる。それもよりスレッドの返信の重要性を低下させている。

　このようにＬＩＨＫＧの話題が目まぐるしく変化し続けていたことはＬＩＨＫＧ上のオピニオンリーダーの不安定化にもつながっている。李立峯教授らの研究グループは、香港デモに関するスレッドの方がそうではないものよりもＬＩＨＫＧ上のオピニオンリーダーの安定性が低いことを明らかにしている。[3] つまり、ＬＩＨＫＧ上で目立つユーザーが目まぐるしく変わる傾向にあり「誰かの発言が影響力を持つ」という状況を作り出しにくくしているということだ（これは香港デモが「中央集権型」ではない「分散型」デモであることを裏付けているとも言える）。つまり誰が投稿するかもスレッドの人気とはあまり関係なく、純粋な内容のアテンション競争となっていたと言える。

　したがって、ＬＩＨＫＧはデモについて具体的な議論・計画づくりをする場所ではなく、むしろアテンションを集めやすい情報の共有や感情の共有場所でしかなかったのではないだろうか。つまり、ＬＩＨＫＧは実際にデモにもたらしていた影響力以上に、シンボルとしての存在感を持っていたのではないだろうかというのが筆者の推測である。

## ３　シンボルとしての「ＬＩＨＫＧ」

では、ＬＩＨＫＧが実際のデモに対する影響力以上に存在感を持っていたのはなぜだろうか。筆者は、これをＬＩＨＫＧが若年層をはじめとした一部のデモ支持者のアイデンティティを寄せる場所になっていたからではないかと考えている。

ＬＩＨＫＧは香港デモ中に使われていた主要なオンラインプラットフォームの中で、数少ない主に香港のユーザーのみを対象にしたものである。香港人でも中高年が見るとわからないような若者言葉・ネット用語が数多く使われていたが、このような香港独自のハイコンテクストな文化が共有できる場所は（香港が中国語圏と英語圏に開かれている場所だからこそ）そう多くはない。香港独自の文化やアイデンティティを強調する「香港本土主義」的人々が増えていた中で、ＬＩＨＫＧに対してインスタグラムやツイッターとは全く違う感情を持つことはそんなに不思議ではないだろう。

ＬＩＨＫＧユーザーが自らのことを「連登仔」（ＬＩＨＫＧっ子）と呼ぶことがあるが、この言葉からはＬＩＨＫＧへの帰属意識が感じられる。この言葉はＬＩＨＫＧ外でも使用されており、２０１９年７月21日のデモにおいては「撐起年青人、撐起連登仔」（若者を支えよう、ＬＩＨＫＧっ子を支えよう）と書かれた十字架を掲げて歩く老人もいた。さらに、ＬＩＨＫＧは先述の「連登豬」のようなシンボルも生み出し、オンライン上だけではなくレノンウォールや街頭でもよく使われており、ＬＩＨＫＧユーザー以外にとってもＬＩＨＫＧが広くデモのシンボルの一つになっていたと言えるだろう。

このように、香港デモでは「２ちゃんねる」のような匿名掲示板が、デモについての情報共有・議論に向いていないアーキテクチャーなのにもかかわらず、一部のデモ参加者のアイデンティティの拠り所となり、デモの中心プラットフォームのように反体制派・体制派に扱われていた。筆者は他国の事例についてはあまり詳しくないが、この事例は**議論の場としての匿名掲示板の限界と「コンセンサスは取れないがシンボルにはなり得る」匿名掲示板の特殊性**を感じさせる話ではないだろうか。

**注**

[1] Apple Daily. (2019, July 2). 55% respondents: LIHKG the most critical. *Apple Daily*, A14. (in Chinese).

[2] South China Morning Post. (2019, Dec 18). The most googled things in Hong Kong in 2019: protest forum tops list that includes scandal-hit actress and Marvel's Thanos. *South China Morning Post*, https://www.scmp.com/lifestyle/article/3042429/hong-kongs-top-google-searches-2019-protest-forum-tops-list-including

[3] Francis L. F. Lee, Hai Liang, Edmund W. Cheng, Gary K. Y. Tang & Samson Yuen (2022) Affordances, movement dynamics, and a centralized digital communication platform in a networked movement, *Information, Communication & Society*, 25: 12, 1699–1716, DOI: 10.1080/1369118X.2021.1877772

[4] Hai Liang & Francis L. F. Lee (2021) Opinion leadership in a leaderless movement: discussion of the anti-extradition bill movement in the 'LIHKG' web forum, *Social Movement Studies*, DOI:

10.1080/14742837.2021.1989294

## 執筆者紹介

**編著者**

石井大智（いしい　だいち）
1996年生まれ。フリーライター。編著書に『「小さな主語」で語る香港デモ』（現代人文社）。香港中文大学大学院中退。日経ビジネス記者を経てウェブメディア編集者に。

**著者**

清　義明（せい　よしあき）
1967年生まれ。ジャーナリスト。著書に『サッカーと愛国』（イースト・プレス、ミズノスポーツライター賞優秀賞、サッカー本大賞優秀作品受賞）。株式会社オン・ザ・コーナー代表取締役。

安田峰俊（やすだ　みねとし）
1982年生まれ。ルポライター。著書に『八九六四』（KADOKAWA、城山三郎賞、大宅壮一ノンフィクション賞受賞）、『現代中国の秘密結社』（中公新書ラクレ）など。立命館大学人文科学研究所客員協力研究員。

藤倉善郎（ふじくら　よしろう）
1974年生まれ。ジャーナリスト。「やや日刊カルト新聞」代表。著書に『「カルト宗教」取材したらこうだった』（宝島社）、『徹底検証 日本の右傾化』（共著、筑摩選書）など。

# 2ちゃん化する世界

## 匿名掲示板文化と社会運動

初版第１刷発行　2023年２月22日

編著者　石井大智

著　者　清　義明・安田峰俊・藤倉善郎

発行者　塩浦　暲

発行所　株式会社　新曜社

〒101-0051　東京都千代田区神田神保町3-9
電話（03）3264-4973(代)・FAX(03)3239-2958
E-mail：info@shin-yo-sha.co.jp
URL：https://www.shin-yo-sha.co.jp/

印刷所　星野精版印刷

製本所　積信堂


ISBN978-4-7885-1798-1 C0036